AR LOG
ers ugain mlynedd

AR LOG
ers ugain mlynedd

LYN EBENEZER

Argraffiad cyntaf: Tachwedd 1996

Rhif Llyfr Safonol Rhyngwladol:
0-86381-412-3

Clawr: Charlie Britten

Argraffwyd a chyhoeddwyd gan Wasg Carreg Gwalch,
Iard yr Orsaf, Llanrwst, LL26 0EH.
☎ *(01492) 642031*

Cynnwys

Deiz ha bloazh laouen, ha bezit Ar Log
e-pad ugent vloazh choazh!

(Pen-blwydd hapus, a boed i Ar Log barhau
am ugain mlynedd arall!)

Alan Stivell

Ar Log
Cerrig Milltir Dau Ddegawd ar y Ffordd

1976-Awst: Ffurfio'r grŵp. Y cyngherddau cyntaf yng Ngŵyl Awst Lorient yn Llydaw. Aelodau gwreiddiol: Gwyndaf Roberts, Dafydd Roberts, Iolo Jones a Dave Burns. Roedd Gwyndaf a Dafydd gynt o'r grŵp roc Brân a Dave o'r Hennessys.

1977-Mai: Taith gyntaf i Iwerddon a'r sioeau teledu cyntaf ar RTE.

Gorffennaf: Taith fythgofiadwy i Ynys Skye gan rannu llwyfan â grŵp gwreiddiol iawn — Electric Ceilidh Band.

1978-Ionawr: Yn ôl i Lydaw ar gyfer taith go iawn a blasu croeso unigryw y Llydawyr.

Ebrill: Gwahoddiad i'r Almaen am y tro cyntaf. Roedd y wlad hon i ddod yn ail gartref i'r band.

Penderfynu recordio'r record hir gyntaf gyda chwmni Dingles yn Llundain.

Hydref: Teithio clybiau Lloegr ac ymuno ag asiantaeth yn Guisborough. Canolbwyntio ar Ogledd-ddwyrain Lloegr.

Tachwedd: Taith gyntaf i Wlad Belg a'r Iseldiroedd.

1979: Iolo yn gadael ond y tri oedd yn weddill yn dal i deithio'n eang drwy'r Almaen. Yn ystod y tair wythnos yn Berlin, y tri'n cael eu harestio ger y mur wrth Checkpoint Charlie wrth ddychwelyd o'r Dwyrain ar ôl bod yno'n siopa ag arian a newidiwyd yn y Gorllewin.

1980-Mawrth: Dave yn gadael a Geraint Glynne a Graham Pritchard yn ymuno â'r grŵp. Treulio mis yn yr Alban.

Ebrill-Mehefin: Y daith hwyaf a'r brysuraf — naw wythnos yn yr Almaen ac Awstria. Hanner y ffordd drwy'r daith, trengodd y fan yng Nghoedwig Ddu Bafaria. Dychwelyd i Gaerdydd i brynu fan newydd.

Rhywle rhwng Munich a Hamburg, 1979.

Y fan wedi torri yn y Goedwig Ddu.

Y fan wedi torri yn Awstria.

Y fan wedi torri yn yr Almaen eto.

Hydref: Ie, yn ôl yn yr Almaen ar gyfer taith arbennig — 'Taith Geltaidd'. Mis o gyngherddau gydag Ar Bleizi Ruz o Lydaw, Joe ac Antoinette McKenna o Iwerddon a Jake Walton o Gernyw.

1981: Dechrau'r flwyddyn newydd drwy recordio *Ar Log II* yn Stiwdio Sain, a thaith i'r Swisdir.

Awst: Yn ystod Eisteddfod Machynlleth, trefnodd y grŵp noson fawr yn Aberystwyth, noson a dyfodd i fod yn achlysur arbennig yn y Genedlaethol.

Wedyn, gydag S4C ar y gorwel, aeth cwmni Sgrin '82 ar daith gyda'r grŵp i'r Taleithiau Unedig i ffilmio rhaglen ar gyfer y sianel newydd.

Cyhoeddi *Ar Log III.*

1982-Chwefror: Y daith hanesyddol gyntaf gyda Dafydd Iwan — 'Taith 700'. Ysgubol.

Ebrill: Graham yn gadael a Stephen Rees yn ymuno mewn pryd i recordio *Rhwng Hwyl a Thaith* gyda Dafydd Iwan.

Mehefin: Un o'r uchafbwyntiau — perfformio yn Offeren y Pab o flaen 300,000 o dorf pan ymwelodd â Chaerdydd.

Gorffennaf-Awst: Taith gyntaf i Ganada a gwirioni ar y machlud haul dros y Môr Tawel yn Vancouver.

Hydref: Recordio'r gyfres gyntaf i S4C — 'Cerddwn Ymlaen'.

1983: 'Taith Macsen'. Dafydd Iwan yn cyhoeddi ei fod am ymddeol o ganu, ond gobeithio bod llwyddiant y daith a'r bartneriaeth wedi bod yn rhannol gyfrifol am benderfyniad Dafydd i barhau.

1984-Mehefin: Ail daith i Ganada ac Iolo yn ailymuno â'r grŵp.

Awst: Sefydlu Cwmni Recordiau Ar Log. Cyhoeddi *Ar Log IV.*

1985-Chwefror: Cwmni Recordiau Ar Log yn trefnu recordio'r sengl *Dwylo Dros y Môr* — y *Band-Aid* Cymraeg. Gwerthodd fwy nag unrhyw sengl Gymraeg erioed.

Awst: Taith lwyddiannus i Ddenmarc.

Tachwedd: Glanio ar gyfandir newydd — wythnos o deithio yn Ecwador a Cholombia yn Ne America.

1986-Ebrill: Dathlu pen-blwydd y band yn ddeg oed gyda thaith 'Ar ôl Deg'.

Awst: Noson gyda Dafydd Iwan yn Hwlffordd yn ystod Eisteddfod Abergwaun — yr orau eto.

1987-Hydref: Mis o deithio yn Ne America — Chile, Periw, Ecwador a Cholombia. Criw ffilm y BBC yn recordio pedair rhaglen ar gyfer S4C.

1988: Dychwelyd i'r stiwdio a chyhoeddi *Ar Log V.*

1989-Mawrth: Yr uchafbwynt hyd yma — noson yn Neuadd Clunderwen!

1990-1995: Mwy o deledu a recordio *Ar Log VI.*

1996: Cloi sioe deledu fyw ar S4C — 'Cyngerdd y Celtiaid' ym Mangor. Perfformio gyda Capercaille, Band Sharon Shannon, y Poozies, Frances Black a llawer mwy.

Cyhoeddi *Ar Log VI* i ddathlu'r pen-blwydd yn ugain oed.

Perfformio drwy Gymru benbaladr i nodi'r ugeinmlwyddiant. Perfformio yng ngwyliau gwerin Cricieth a Nant Gwrtheyrn. Trefnu nosweithiau pen-blwydd ym Mhencnwc a Llandybïe a pherfformio mewn gŵyl yn Dunfermline yn yr Alban.

Y dyfodol: Dal i gerdded ymlaen . . .

The night of the Welsh wizards

THE FYLDE Folk Festival got off to a truly international start last night, with a foreign-language climax to the opening concert.

The first night is usually reserved for Lancashire artistes, but this time an ethnic group with its roots not a hundred miles away proved to be the show-stoppers.

Welsh band Ar Log wooed a packed Marine Hall audience, which could not understand a single of their songs, with a fine display of musicianship.

And their intricate arrangements and brilliant instrument-control earned them an encore and an ovation, after a slow start.

Ar Log's unusual sound comes from a rare combination of electric guitar, flute, fiddle, and that most Welsh of instruments, the harp.

Apart from some fast-beat reels echoing Alan Stivell, and a wild Welsh clog dance from whistle-king Dafydd Roberts, their music needs careful attention — and the spell they wove ensured the usually-boisterous opening audience gave them the attention they [illegible]ed.

[illegible]al would [illegible] without [illegible] Rose [illegible] Vera [illegible]ical [illegible] the

Ein Traddodiad Gwerin ar ei orau

Shân Emlyn

● AR LÔG (*Sain 1187M*).

Fe'm magwyd ac fe'm trwythwyd i ym myd yr alaw werin Gymraeg, mewn cyfnod pan nad oedd bri ar yr alaw werin, a bryd hynny roedd 'na dipyn o [illegible] trwyn ar y rhai a fynnai eu canu. Yn [illegible] canu gwerin [illegible] fel

Ennill bywoliaeth trwy berfformio yn Gymraeg

FINE NEW SOUND FROM WALES

ON the folk scene one often hears Scottish and Irish folk groups bringing their Celtish music to the masses, and over the past few years Breton musicians have even brought their native Celtic music to us.

Focus on Folk with Graham Whitley

Passionate stuff from Ar Log

26/9/81 Edinburgh Ev[illegible]

By LINDSAY REI[illegible]

FOLK

TOM JONES, Harry Secombe and Max Boyce haven't a look-in.

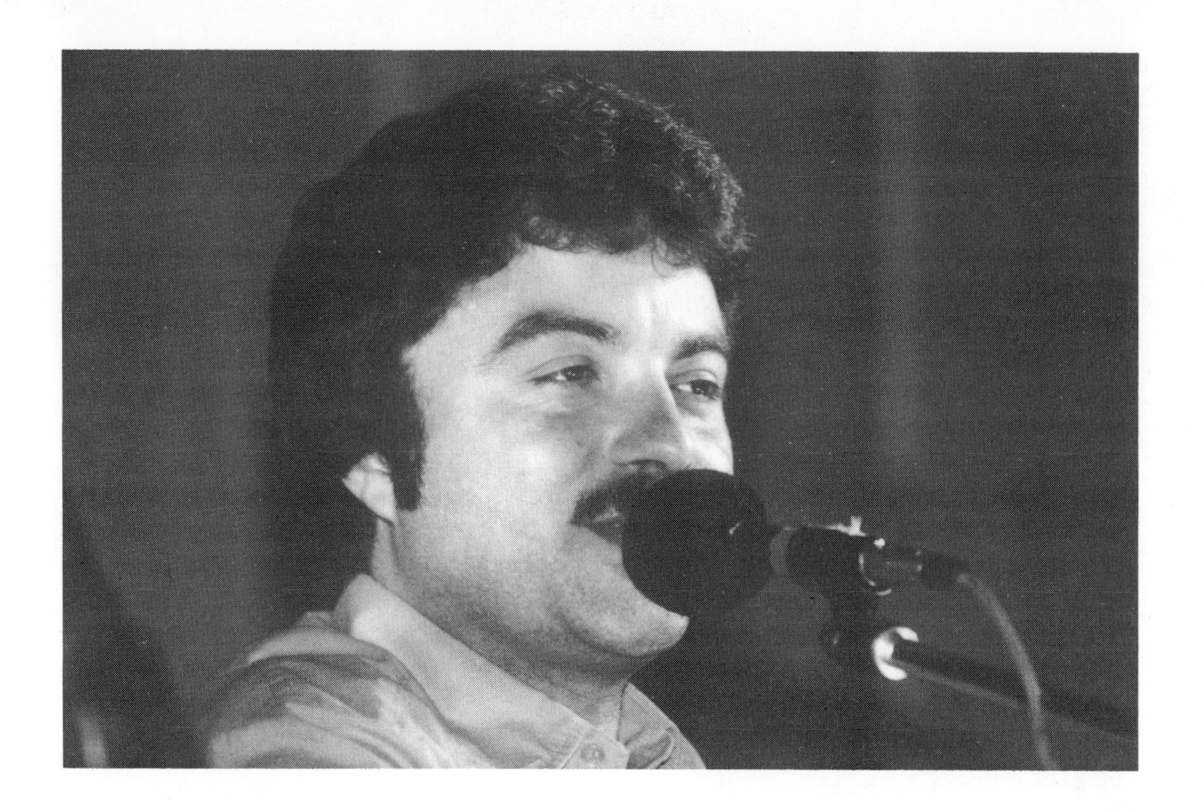

Gwyndaf

Sut gychwynnodd Ar Log?
Tra o'n i'n y coleg ym Mangor rhwng '72 a '75 mi fûm i'n aelod o'r grŵp roc Brân. Fe wnaeth Dafydd fy mrawd hefyd ymuno fel drymiwr tua'r diwedd ond fe chwalodd y grŵp yn '75.

Ro'n i wedi gadael y coleg erbyn hynny ac yn canu'r gitâr a'r delyn yn achlysurol mewn gwahanol gynyrchiadau gyda Chwmni Theatr Cymru ym Mangor. Yna, yn ystod haf '76 fe gafodd Dafydd a finna wahoddiad i fynd lawr i Gaerdydd gan bwyllgor Cymru o'r Ŵyl Geltaidd yn Lorient, Llydaw. Y bwriad oedd cyfarfod â Dave Burns oedd yn canu caneuon gwerin o gwmpas y clybiau yng Nghaerdydd (roedd o wedi peidio teithio gyda'r Hennessys erbyn hynny) ac â Iolo Jones oedd yn ffidlo o gwmpas y clybiau gwerin. Roedd Iolo wedi gorffen yng Ngholeg Rhydychen a'r bwriad oedd sefydlu grŵp dros dro i gynrychioli Cymru yn Llydaw.

A dyna a fu. Fe gawson ni ychydig bach o ymarfer a mynd draw i Lydaw a chael wythnos fendigedig o lwyddiannus. Fe ddaethon ni ar draws y Dubliners ar ddiwedd un noson a gofynnodd un ohonyn nhw, 'Pam stopio, bois? Cariwch ymlaen a gwnewch yrfa ohoni.' A dyna a ddigwyddodd.

Beth wyt ti'n ei gofio am eich cyfarfyddiad â'r Dubliners?
Yr un dwi'n gofio orau yw Jim McCann, oedd yn llanw lle Ronnie Drew ar y pryd. Ef fu'n sgwrsio â ni fwya. Fe fu ei anogaeth ef a gweddill y grŵp yn gryn sbardun i ni.

Wyddet ti ddim bryd hynny, mae'n debyg, fod Barney McKenna o'r Dubliners yn ffan mawr o Nansi Richards?
Na wyddwn, neu fe fyddem wedi cael sesiwn ddiddorol iawn. Ond dydi o ddim yn fy synnu i fod Barney yn ffan o Nansi. Roedd hi'n apelio at bob math o bobol. Dyna Meic Stevens, er enghraifft; roedd o wrth ei fodd efo Nansi.

Ai Nansi fu'n gyfrifol am dy gyflwyno di i'r delyn?
Ie. Ro'n i tua naw oed pan dde's i ar draws y delyn am y tro cynta. Be ddigwyddodd oedd hyn. Fe aethon ni fel teulu i weld Nansi,

Telynores Maldwyn, yn perfformio. Yn Neuadd Mynytho, dwi'n credu. Ro'n i wedi bod yn cael gwersi piano ers tua tair blynedd ond hwn oedd y tro cynta erioed i mi gyffwrdd â thelyn.

Roedd Nansi yn ffrindiau mawr efo Nain ar ochr Mam ac ro'n i'n awyddus iawn i gael gwersi ar y delyn. Ac fe ddigwyddodd rhywbeth y noson honno. Fe ge's i fy nghyfareddu gan sŵn y delyn, ac fel y digwyddodd pethau, mewn rhyw ychydig wythnosau — neu fisoedd, dwi ddim yn cofio — fe ddaethon ni ar draws hen delyn deires mewn atig i lawr yn Nhreorci. Rhyw ferch ddaeth i'r tŷ acw a dweud, 'O, fe gewch chi 'nhelyn i sydd yn yr atig yn hel llwch.' A dyna wnaethon ni, a chael ein dwylo ar delyn deires.

Yna, dyma ffônio Nansi yn syth bin, torri'r newydd iddi a gofyn a ddeuai hi draw i roi ychydig wersi. A dyna fu'r hanes.

Fe fyddai hi'n galw heibio yn achlysurol beth bynnag, a dyna sut y cychwynnon ni gael gwersi telyn gan Nansi, a hynny weithiau am dri neu bedwar diwrnod ar y tro. Yna fe fyddai hi'n diflannu, ond nid heb adael gwaith cartre i ni. Wedyn fe ddeuai hi 'nôl ymhen ychydig fisoedd i weld sut oeddan ni'n datblygu.

Ond, wrth gwrs, roedd Dafydd a finna'n arbrofi hefyd. Fe gawson ni afael ar delyn bedal ac roeddan ni, fel teulu, y pedwar ohonan ni, yn mynd o gwmpas — Mam yn canu, Dad yn darlithio a Dafydd a finna'n cyfeilio naill ai ar y ddwy delyn neu ar y delyn a'r piano.

I ddod 'nôl at Barney McKenna o'r Dubliners. Mae e, fel oedd Nansi, yn hoff iawn o gerddoriaeth Sipsiwn.

Wrth gwrs. I'r Sipsiwn mae'r diolch fod y delyn wedi goroesi drwy'r Diwygiad. Doeddan nhw ddim yn poeni be fyddai pobol yn ei ddeud, dim ond canu be bynnag roeddan nhw isio'i ganu. Weithiau, fe fyddan nhw'n dod at Nansi ym Mhenybont Fawr ac fe ddysgodd lawer oddi wrthyn nhw.

Mae cerddoriaeth werin yn rhan ohonot ti erioed, felly?

Ydi, diolch i Mam a fyddai'n canu llawer o alawon gwerin, ac i Nansi. Fe wnaethon ni ddysgu alawon traddodiadol o'r dechrau. Dyna sut y tyfodd y diddordeb, mae'n debyg.

Ond ar yr un pryd, fel roedd Dafydd a finna yn cyrraedd ein harddegau fe wnaethon ni ddechrau ymddiddori mewn canu roc. Arwyr dyddiau ysgol i mi oedd Led Zep. Doedd neb arall yn ddigon da. Be oedd pwynt gwrando ar neb arall?

Yn raddol fe dde's i dros hynny a ffoli ar Rory Gallagher, a'r Beatles wrth gwrs, a Queen. Wedyn dyma Status Quo yn dod yn arwyr. Nhw, mae'n debyg, yw fy hoff grŵp i ac mae pob albwm o'u heiddo nhw ers *Pictures of Matchstick Men* gen i.

Ond fy hunan, ni fu gen i erioed ddiddordeb mewn dilyn gyrfa ym myd cerddoriaeth o gwbl. Yn yr ysgol, yn y trydydd neu'r pedwerydd dosbarth, y dewis cynta ge's i oedd y dewis rhwng cerddoriaeth a ffiseg. A'r pwnc ddewisais i oedd ffiseg. Felly wnes i ddim astudio cerddoriaeth yn yr ysgol. Fy niléit i fyddai chwarae o gwmpas efo trydan a ffiwsio popeth yn y tŷ wrth chwarae efo *amplifiers*, hynny am fy mod i wedi dechrau ymddiddori yn y math yna o beth mewn dawnsfeydd yn Aberdyfi a lleoedd tebyg.

Roedd y diddordeb gwerin yno eisoes. Felly, yr hyn wnaethon ni oedd cyfuno'r ddau ddiddordeb. Tra yn yr ysgol fe wnaethon ni gyflwyno'r delyn i grŵp gwerin a ffurfiwyd gan feibion Stan Hugill, yr awdurdod ar ganeuon môr. Roeddan ni'n byw a bod yn ei gartre. Roedd dylanwad Stan yn drwm ar y Spinners, felly caneuon y Spinners oeddan ni'n chwarae ar y prom yn Aberdyfi i ymwelwyr haf.

Yn yr ysgol a'r coleg fe wnaeth y ddau draddodiad, gwerin a roc, gyd-redeg. Fe wnaethon ni gychwyn gyda'r Atgyfodiad, wedyn Brân. Ac yn achos Brân fe ddaethon ni â'r delyn a'r ffliwt i mewn a mynd i Gilarney i'r Ŵyl Ban-Geltaidd ac ennill yno.

Ond hyd yn oed wrth adael y coleg, doedd gen i ddim syniad be oeddwn i'n mynd i'w wneud. Doeddwn i ddim am fynd i ddysgu, fe wyddwn i hynny. Ond doedd gen i ddim bwriad mynd i'r cyfrynga chwaith. Yna, ar ôl gweithio am flwyddyn fel cerddor ar fy liwt fy hun, dyma gychwyn Ar Log. Fe fu pethau mor syml â hynna. Doedd dim wedi'i gynllunio. Doedd gen i ddim meddwl am y dyfodol. Byw o ddydd i ddydd oeddwn i a chwilio am waith.

O ble ddaeth enw'r grŵp?

Dwi'n meddwl mai ar y fferi ar y ffordd draw i Lydaw y cawson ni'r enw. Roedd yna gryn bendroni be fasan ni'n galw'n hunain. Yno yr oeddan ni, pedwar cerddor wedi dod at ei gilydd i gynrychioli Cymru a dwi'n meddwl mai Iolo wnaeth gynnig yr enw Ar Log. Roedd o'n swnio'n Geltaidd ac roedd o'n enw wnaeth gydio.

Chi oedd y grŵp Cymraeg cyntaf i droi'n broffesiynol. Pa mor galed oedd hi?

Anogaeth y Dubliners fu'r sbardun fel y dywedais i. Ond gan nad oedd 'na neb arall o Gymru wedi gwneud y fath benderfyniad o'r

Nansi Richards a Gwyndaf, y disgybl ifanc.

Gwyndaf a Dafydd cyn perfformio yn hen eglwys Llangelynnin, Meirionnydd.

blaen dyma ni'n sylweddoli y gallai hynny fod o fantais. Wedi'r cyfan, roedd o'n golygu mai dim ond ni fyddai ar gael yn llawn amser.

Roedd o'n golygu bod ar y dôl ar y cychwyn, wrth gwrs, a chymryd be fyddai'n dod i ni. A gan nad oedd neb, bron, wedi clywed amdanon ni, mater o sefydlu enw yng Nghymru oedd o ac wedyn ceisio ehangu. Yn ffodus, roedd gennym ni gysylltiadau drwy Dave Burns, oedd yn gyfarwydd â'r busnes.

O ddyddiau'r Hennessys, roedd Dave yn adnabod llawer o bobol yn y byd gwerin yn Iwerddon a Lloegr ac yn ara bach fe aeth enw Ar Log o gwmpas ac fe gawson ni fwy a mwy o waith.

Yn y cyfnod cynnar fe fuon ni'n ffodus i gael gwaith gan Fwrdd Croeso Cymru. Roeddan nhw angen artistiaid o Gymru i chwarae ar stondinau mewn gwahanol wyliau, *trade fairs* ac yn y blaen. Drwy hynny fe gawson ni gyfle cynnar i deithio — a hynny i'r Almaen. Tair wythnos yn Berlin. Fe gawson ni deithiau tebyg i Iwerddon. Roeddan ni'n cael cyflog, gwesty, bwyd ac yn chwarae bob rhyw hanner awr i bobol oedd, falla, heb ddim diddordeb o gwbl mewn canu gwerin Cymraeg.

Pa fath o anawsterau oedd yn codi pan ddaeth hi'n fater o drefnu teithiau tramor?

Roedd o'n brofiad newydd i ni fel hogia bach o'r wlad, falla, i deithio dramor a gorfod trefnu'r holl beth. Trefnu cyrraedd y wlad, heb sôn am drefnu'r daith ei hun. Ac roedd y profiadau yn medru bod yn brofiadau ofnadwy. Er enghraifft, o ble allen ni gael fan fyddai'n gludiant dibynadwy? Doedd neb yn cynnig arian i ni, felly'n bu'n rhaid safio arian i brynu fan.

Wedyn roedd y system sain yn boen. Mi fyddan ni'n cyrraedd rhywla ar gyfer perfformio a dim ond rhyw un neu ddau feicroffon yno, a ninnau angen deg.

Anhawster amlwg arall, gan ein bod ni'n bedwar, oedd bod angen i ni chwarae bron bob nos o'r wythnos er mwyn cynnal ein hunain. Doedd hynna ddim yn bosib yng Nghymru. *Doedd* hi ddim, a *dydi* hi ddim. Ac roedd gorfod chwarae bob nos yn golygu ein bod ni'n teithio drwy'r amser. Ac fel yr oedd yr enw'n dod yn fwy adnabyddus, roeddan ni'n cael mwy o waith ar y cyfandir, yn enwedig yn yr Almaen.

Un noson fe allen ni fod yn Aberdeen, y noson wedyn yn Berlin. Roedd y teithio'n beth ofnadwy. Ond wrth edrych yn ôl mae 'na brofiadau pleserus yn dod i'r cof. Pawb efo'i gilydd mewn un fan am bedair awr ar hugain. Dychmygwch y peth!

Ond roedd 'na broblemau ymarferol go ddifrifol yn codi. Rwy'n cofio Dafydd a finna yn gyrru hen fan Sherpa i chwarae yn yr *Angel* yn Aberystwyth yn '79. Roedd Dave wedi teithio yno o'n blaena ni. Ychydig y tu allan i Felin-fach fe dorrodd cebl y sbardun. Felly dyma ffônio Dave a gofyn iddo fo berfformio ar ei ben ei hun nes i ni gyrraedd.

Ond sut oedd trwsio'r cebl? Fe gawson ni weledigaeth. Dyma dynnu un o dannau'r delyn deires — F neu C waelod, os dwi'n cofio'n iawn — a'i gysylltu o'r pedal i'r injan. Ac fe weithiodd. Felly, y neges ydi, cariwch delyn hefo chi bob amser rhag ofn i gebl y'ch sbardun chi dorri.

Rwy'n cofio wedyn, teithio drwy'r Fforest Ddu o Strasbourg i Salzburg yn nechrau '80. Taith gynta Geraint a Graham, dwi'n meddwl. Roeddan ni mewn tipyn o frys gan ein bod ni ar ei hôl hi o dipyn yn dilyn noson fawr. Yn sydyn, fe chwythodd yr *head gasket* gan ein gorfodi ni i stopio bob deng milltir i chwilio am afon neu nant i lenwi'r *radiator*.

O'r diwedd dyma gyrraedd pen y daith — rhyw balas anferth. Doedd dim amser i osod y sain a bu'n rhaid i ni gamu i'r llwyfan yn syth o'r fan. Diolch byth, roedd yr acwstics mor dda fel yr aeth popeth yn iawn. Ond dyna'r agosa fu hi erioed i ni dorri cyhoeddiad.

Yn ddiweddarach, gan fod gennym ni ddau ddiwrnod yn rhydd, fe wnaethon ni yrru'r Sherpa yr holl ffordd i Gaerdydd a dychwelyd yn ôl i'r Almaen i barhau'r daith mewn fan newydd.

Sut brofiad oedd e i rannu'r llwyfan yn Iwerddon a'r Alban â phobl enwog eraill o'r sîn werin?

Yn y dyddiau cynnar, mae'n debyg mai mewn clybiau gwerin oedd y rhan fwya o'r gwaith yn

Lloegr a'r Alban ac mewn nosweithiau llawen ac ati yng Nghymru. Ar y dechrau, mewn clybiau gwerin, ni fyddai'r unig act ac roeddan ni'n gweld posteri yn cyhoeddi bod enwogion y sîn wedi bod yn y lle a'r lle yr wythnos cynt ac yn mynd i ddod yr wythnos wedyn. Ond yn ddiweddarach dyma ni'n dechrau chwarae mwy mewn gwyliau gwerin lle'r oedd 'na sawl grŵp a sawl artist yn rhannu llwyfan. A dyna brofiad pleserus oedd rhannu llwyfan efo'r enwau mawr fel Clannad, y Battlefield Band, y Chieftains, Silly Wizzard, Alan Stivell, Dan Ar Braz ac yn y blaen.

Yr unig ŵyl yng Nghymru ar y pryd oedd Gŵyl Werin Dolgellau ond nid oedd honno, yn anffodus, yn gymaint o lwyddiant â hynny oherwydd diffyg cefnogaeth. Ond roedd y gwyliau tramor, yn enwedig mewn lleoedd yng Ngogledd America a Chanada, fel Winnipeg a Vancouver, yn rhywbeth hollol newydd i ni efo dwsinau, os nad cannoedd o artistiaid yn aros am dridiau.

Yn 1978, gyda Iolo a Dave yn gadael, beth wnaeth i chi benderfynu parhau, a chithau nawr yn ddim ond dau?

Mae'n wir fod '78 yn drobwynt. Ar ôl dwy flynedd o deithio a sefydlu'n hunain fel grŵp gwerin fe benderfynodd Iolo'i fod o'n mynd i adael. Roedd o isio chwarae ar ei ben ei hun. Roedd o wedi cael digon ar deithio.

Am tua blwyddyn bu Dave, Dafydd a finna yn mynd o gwmpas fel triawd — Dave yn brif leisydd ac yn canu'r mandolin a'r gitâr, Dafydd ar y ffliwt a'r delyn deires a finna ar y telynau. Fe gawson ni ddigon o waith i gadw deupen llinyn ynghyd ond roedd o'n straen. Ac ar ddiwedd y flwyddyn honno fe benderfynodd Dave adael hefyd.

Dyma Dafydd a finna'n pendroni. Be oeddan ni'n mynd i'w wneud? Oeddan ni'n mynd i barhau neu be? Yr hyn wnaethon ni oedd gosod hysbyseb yn *Y Cymro*, os dwi'n cofio'n iawn, am ffidlwr, canwr a gitarydd ac fe gawson ni ateb yn fuan iawn.

Dyma Graham Pritchard, oedd yn athro mathemateg ym Mhenweddig ar y pryd, yn dweud bod arno awydd newid gyrfa a mentro i'r byd proffesiynol am flwyddyn neu ddwy.

Yna dyma Geraint Glynne, oedd yn gyfaill o ddyddiau Bangor, yn penderfynu gadael ei swydd saff efo'r Awdurdod Iechyd ym Mangor, ac ymuno â ni fel canwr a gitarydd.

Tua 1980 oedd y trobwynt mwya felly. Roedd o'n golygu fod y pedwar ohonon ni, i bob pwrpas, yn ailddechrau. Ond eto, ro'n i'n teimlo ein bod ni'n gwneud rhywbeth mwy na dim ond ailddechrau.

Beth bynnag, roeddan ni am sicrhau bod y sŵn yn iawn, ble bynnag y byddan ni'n mynd, felly dyma droi at gwmni recordio Dingles yn Llundain, a oedd wedi recordio'n albwm gynta ni, a gofyn fasan nhw'n fodlon ein noddi drwy brynu offer sain i ni. Ac fe wnaethon nhw gytuno. Roeddan ni'n teimlo'n llawer mwy hyderus wedyn ac yn medru mynd i unrhyw le gyda system sain addas.

Tua'r adeg honno y cychwynnodd eich cysylltiad â Dafydd Iwan. Sut ddigwyddodd hynny?

Bu'r ddwy flynedd nesa yn flynyddoedd prysur iawn. Prysur ar y cyfandir a phrysur yng Nghymru hefyd gan mai yn 1982 y cychwynnodd y bartneriaeth â Dafydd Iwan.

Roeddan ni wedi rhannu llwyfan â Dafydd yng Nghefncoedycymer, ac ar ôl i ni orffen y noson fe ddigwyddodd rhywbeth. Roeddan ni'n gwybod caneuon Dafydd Iwan — doedd o ddim yn gwybod dim o'n caneuon ni — ond dyma deimlo bod 'na rhyw fath o *magic* yno a dyma awgrymu wrtho y basan ni'n hoffi gwneud rhyw daith fach gydag o. 'Iawn,' meddai Dafydd, a'r flwyddyn ganlynol, 1982, fe wnaethon ni benderfynu mynd ar daith o gwmpas Cymru gyda'n gilydd a galw'r daith yn 'Daith 700'.

Y peg, wrth gwrs, oedd saithcanmlwyddiant marw Llywelyn Ein Llyw Olaf, ac fe fu hi'n daith anhygoel o lwyddiannus. Ond yn anffodus, ar ddiwedd y daith honno, fe benderfynodd Graham adael. Roedd o wedi gwneud ei ddwy flynedd, fel yr addawodd iddo'i hun, ac fe gawson ni aelod newydd, Stephen Rees o Rydaman.

Oedd y ffaith fod Graham a Geraint wedi gadael eu swyddi, a chithau'n gorfod eu talu nhw yn straen arnoch chi?
Roedd o'n benderfyniad dewr ar ran y ddau i roi'r gorau i swyddi saff. Doedd 'na neb wedi gwneud hyn o'r blaen, a dwi ddim yn meddwl y bydd 'na neb yng Nghymru yn gwneud unrhyw beth tebyg, o dan yr un amgylchiadau, am sbel eto chwaith.

Roedd 'na gyfrifoldeb ar y grŵp i dalu cyflog call iddyn nhw, felly dwi'n meddwl ein bod ni wedi newid gêr yn '80 gan wneud yn siŵr ein bod ni'n magu mwy o gysylltiadau ar raddfa ehangach. Bwrw'r rhwyd yn eang, Ewrop i gyd, Gogledd America, ac yn ddiweddarach De America.

Roedd Stephen dipyn yn iau na'r gweddill. 'Ddaeth hynny â mwy o fywyd i'r grŵp?
Newydd adael yr ysgol oedd Steve ac yn cymryd blwyddyn o seibiant cyn mynd i Gaergrawnt. Felly roedd 'na gyfrifoldeb newydd arnon ni i edrych ar ôl yr hogyn ifanc 'ma. A dwi'n meddwl bod y peth yn dipyn o sioc i Steve hefyd, druan, pan ymunodd o â ni, gan mai'r peth cynta wnaethon ni oedd mynd yn ôl i'r cyfandir gan deithio i'r Almaen, y Swisdir ac yn y blaen. Ond yn sydyn iawn ro'n i'n teimlo ei fod o, er tua deng mlynedd yn iau na'r gweddill, wedi ffitio i mewn ac wedi aeddfedu yn ystod y flwyddyn gynta honno.

Os symudwn ni at '83-'84, yn dilyn ail daith Dafydd Iwan, dyma ti a Dafydd, dy frawd, yn penderfynu chwilio am waith mwy sefydlog.
Ar ôl llwyddiant 'Taith 700' dyma drefnu taith arall. Roedd yn rhaid cael thema i hon hefyd, a'r peg y tro hwn oedd Macsen Wledig. Yn ôl y sôn roedd Macsen wedi gadael Cymru'n un wlad yn 683, ac roedd 'Taith Macsen' hyd yn oed yn fwy llwyddiannus na 'Thaith 700' — falla am fod Dafydd Iwan wedi cyhoeddi, jyst cyn cychwyn y daith, y byddai o'n rhoi'r gorau i ganu. Doedd y peth ddim yn fwriadol er mwyn gwerthu rhagor o docynnau! Ond fe wnaeth wahaniaeth mawr a bu'n rhaid i ni drefnu nosweithiau ychwanegol.

Roedd 'Taith Macsen' yn daith anhygoel. Pob tocyn wedi ei werthu a'r *magic* 'ma yn parhau rhwng Dafydd a ninna o hyd. Ac mae'r peth wedi para dros yr holl flynyddoedd.

Mae pobol yn dal i'n gwahodd ni a Dafydd i berfformio gyda'n gilydd a dwi'n meddwl bod rhaid i ni fod yn ofalus nad oes neb yn dechrau meddwl mai grŵp cefndir Dafydd ydi Ar Log. Felly, rhyw dair blynedd yn ôl, fe wnaethon ni benderfynu cyfyngu ein perfformiadau gyda Dafydd, er ein bod ni'n eu mwynhau nhw'n fawr. Ond er lles y grŵp roedd o'n bwysig ein bod ni yn ymddangos fel Ar Log ar ein pennau ein hunain.

Beth bynnag, erbyn tua '83-'84, ar ôl wyth mlynedd o fod yn llawn amser, roedd rhai o'r aelodau wedi priodi ac yn dadau. Doedd hi ddim yn deg eu bod nhw'n teithio drwy'r adeg. Felly, daeth yr amser i ni benderfynu a ddylen ni barhau yn llawn amser neu weithio'n rhan amser yn unig. A dyna ddigwyddodd yn raddol bach. Fe wnaethon ni droi yn rhan amser a dod o hyd i swyddi eraill. I wneud bywoliaeth llawn amser o'r perfformiadau byddai'n rhaid chwarae bob nos, a doedd hynny ddim yn deg.

Fe ddaeth Iolo yn ôl — felly roedd gan y grŵp ddau ffidlwr. Sut oedd cyfnod '84-'85?
Fe gawson ni wahoddiad i fynd i ŵyl yng Nghanada yn '84 ac fe wnaethon ni ofyn i Iolo fyddai o'n hoffi dod efo ni ar y daith. Fe gytunodd, ac felly roedd gennym ni ddau ffidlwr, Stephen a Iolo, ac mae Iolo wedi bod efo ni ers hynny. Mi wnaeth y syniad o fod mewn grŵp eto apelio. Roedd o wedi cael blas, mae'n amlwg.

I droi at* Dwylo Dros y Môr, *beth oedd dy ran di yn y fenter?
Ar ôl recordio gyda chwmni Dingles yn Llundain, ac yna recordio *Ar Log II* ac *Ar Log III* gyda Sain, dyma ni'n meddwl mai'r ffordd orau i wneud arian fyddai cyhoeddi albwm ar ein label ein hunain. Felly dyma dalu am amser mewn stiwdio a chyhoeddi *Ar Log IV* ar label Ar Log. Wedyn, pan ddigwyddodd *Band Aid* yn '85 fe benderfynon ni wneud defnydd

Taith ar y cyd i goffau'r Llyw Olaf

DAFYDD IWAN — edrych ymlaen am ganu i gyfeillant Ar Log.

Bydd Dafydd Iwan ac Ar Log yn ymgymryd â'r daith fwyaf uchelgeisiol erioed yn eu hanes o fewn Cymru yn ystod misoedd Chwefror a Mawrth.

"Taith 700" yw'r teitl a roddir i'r daith ac fe'i chynhelir i goffau saith canmlwyddiant marwolaeth Llywelyn Ein Llyw Olaf ac yn ystod y daith, sy'n dechrau yn Llangennech, Dyfed, ar Chwefror 5 ac yn gorffen yn Llanybydder, eto yn Nyfed, ar Fawrth 22, byddant yn perfformio mewn neuaddau, theatrau a chlybiau gwerin ledled Cymru.

Hon yw'r daith gyntaf erioed i Ar Log a Dafydd Iwan ymgymryd â hi

Bwriedir trin nifer o ganeuon Gwyddelig yn yr un modd ag a wnaeth Dafydd gyda dwy gân — 'Pedwar Cae' ac 'Y Dref

AR LOG — wedi bod yn paratoi set newydd o ganeuon ar gyfer y daith.

a Gerais I' — a ymddangosodd ar ei record hir ddiweddaraf, 'Dafydd Iwan — Ar Dân'.

Gobeithir rhyddhau record fer rywbryd yn ystod y daith. "Dydw i ddim yn gwbod yn union beth fydd arni hi eto," medd Dafydd. "Rwyf wrthi ar hyn o bryd yn cyfansoddi cân sydd a wnelo hi rywbeth â'r 700 mlwyddiant ond dydw i ddim wedi ei chwblhau eto."

Bwriedir recordio'r record fer pan fydd Ar Log yn Stiwdio Sain yn

ma diarfogi niwclear, yn erbyn y bom niwclear ac ati.

Cysylltiad

Trefnir y daith gyda chydweithrediad cysylltwyr lleol gan Glenda Wyn, gwraig Dafydd Roberts, un o aelodau Ar

daith a cynnwys llebynna bosibl."

Mae i toi ni newyd "Maer yn ne

1282-1982

TAITH 700

Ar Log

Dafydd Iwan

MAWRTH 1982

3 — FELIN FACH (Y THEATR) — Aeron 470697
21 — CAERDYDD (THEATR SHERMAN) — Caerdydd 396644
22 — LLANYBYDDER (Y NEUADD) — Llanybydder 480756

AR LOG YN UNIG

CHWEFROR 7 — BLACKWOOD (CLWB GWERIN)
26 — CRYMYCH (YSGOL UWCHRADD) — Boncath 483
27 — TŶ DDEWI (WARPOOL COURT HOTEL)
MAWRTH 4 — LLANIDLOES (EX-SERVICE CLUB) 05512/2289
5 — RHUTHUN (CLWYD GATE — CLWB GWERIN)
6 — NEWBRIDGE (CLWB RYGBI)
12 — LLANTRISANT
13 — CASTELL NEDD

...och oni hysbysir yn wahanol yn lleol.
...nda Wyn, Caerdydd 499076+26915

AR LOG
AR ÔL UGAIN

TAITH AR-ÔL DEG 76-86

Ar Log

gyda
DAFYDD IWAN
GRAHAM PRITCHARD
a DAVE BURNS

Adloniant Adloniant

AR LOG A DAFYDD IWAN.

Troedio eto lwybrau'r daith

Ar ôl blwyddyn weithgar a hynod lwyddiannus y llynedd ...

o'n label a threfnu *Band Aid* Cymru gyda record Gymraeg.

Fe wnaethon ni ofyn i Huw Chiswell gyfansoddi cân, ac yna trefnu i holl enwogion y byd pop a gwerin yng Nghymru ddod at ei gilydd i Stiwdio Loco ym Mrynbuga. A bu'r fenter yn llwyddiannus dros ben.

Roedd gofyn gwneud dipyn o waith cyhoeddusrwydd a hyd yn oed gosod y disgiau yn eu cloriau ein hunain. Roedd hi'n anodd argraffu digon o gloriau. Bob dydd fe fyddan ni'n mynd lawr i Aberafan i gasglu mwy o gloriau. Fe aeth y record i gyrion y siartiau Prydeinig, ac o ran codi arian, bu'n brosiect llwyddiannus dros ben.

Wedyn fe ddaeth dwy daith i Dde America.
Do. Yn '86 dyma dderbyn gwahoddiad gan y Cyngor Prydeinig i fynd i Dde America. Roedd hyn yn swnio'n gyffrous dros ben. Doeddan ni ddim yn medru gwneud y cyfnod hir oeddan nhw wedi'i ofyn, felly fe gawson ni tua deng niwrnod, os ydw i'n cofio'n iawn, yn Ecwador a Cholombia. Wedyn, dyma addo y byddan ni, y flwyddyn ganlynol, yn ffeindio digon o amser i wneud taith hirach. A dyna ddigwyddodd.

Ar ddiwedd '87 fe gawson ni fis yn Ne America — wythnos yn Chile, wythnos ym Mheriw, wythnos yng Ngholombia ac wythnos yn Ecwador ac fe ddaeth criw o'r BBC draw i'n dilyn ni o gwmpas, gan gynhyrchu rhaglen hanner awr o bob gwlad.

Roedd hwn yn brofiad mawr gan ein bod ni'n cyfarfod â chantorion gwahanol, megis telynorion yr Andes. Roedd y rhain yn cario'u telynau â'u penna i lawr pan oeddan nhw'n gorymdeithio mewn gwahanol wyliau, ac roedd y gerddoriaeth yn amrywio o wlad i wlad.

Roedd y daith draw i Dde America mor hir, 37 o oriau dwi'n credu, nes bod Iolo wedi dysgu Sbaeneg ar y ffordd yno! Ond yn anffodus fe gollodd Geraint ei fag dillad y diwrnod cynta, a hynny cyn cyrraedd De America. Wedyn, am fis, fe fu'n rhaid iddo fenthyg dillad yr aelodau eraill. Mae troeon trwstan fel'na yn dod i ran rhywun.

Roeddan ni'n disgwyl mwy o broblemau yn Ne America. Ro'n i wedi darllen y llyfr *The South American Handbook* oedd yn ein rhybuddio ni i fod yn ofalus. Ond dwi'n siŵr i ni gael mwy o drafferthion mewn gwledydd fel Ffrainc, Gwlad Belg a'r Almaen. Dwi'n cofio bod yn Berlin am dair wythnos, eto dan nawdd y Bwrdd Croeso, ac fe wnaethon ni benderfynu mynd draw i Ddwyrain Berlin un diwrnod i siopa a newid arian, a hynny heb wybod yn well ei bod hi'n anghyfreithlon i newid Deutschmarks y Dwyrain yn y Gorllewin. Ond fe ddwedodd rhywun wrthon ni y byddai modd i ni wneud hynny a chael pedwar Deutschmark y Dwyrain am bob un Deutschmark Gorllewinol. Siopa'n wyllt wedyn. Prynu bagiau lledr a phob math o nwyddau. Ond ar y ffordd 'nôl drwy Checkpoint Charlie dyma'r swyddogion yn gofyn i ni ble cawson ni'r holl arian, a ninnau'n dweud ein bod ni wedi ei newid yn y Gorllewin. Fe gymerwyd ein trwyddedau teithio oddi arnom a'n cymryd i wahanol stafelloedd ar ein pennau ein hunain. Ro'n i'n meddwl, 'Ai dyma ddiwedd y daith i Ar Log?' Ond ar ôl llofnodi darn o bapur yn cyfadde mai ymwelwyr twp oeddan ni, a'n bod ni'n ymddiheuro, fe gawson ni fynd yn rhydd. Ond heb y nwyddau, wrth gwrs.

Be sy' wedi bod yn digwydd ers '87?
Mi faswn i'n dweud ein bod ni dros y tair blynedd diwetha — heblaw am chwarae'n achlysurol yng Nghymru ac ambell daith i'r Almaen — wedi bod yn reit ddistaw oherwydd galwadau eraill. Ond gan ein bod ni eleni yn dathlu ugain mlynedd 'dan ni wedi rhyw fath o ailafael ynddi go iawn. 'Dan ni wedi penderfynu trefnu taith ddathlu o gwmpas Cymru ac fe aethon ni ati i recordio albwm newydd, *Ar Log VI*.

Bydd y dathlu yn parhau drwy'r flwyddyn, wrth gwrs, ond beth sy'n wahanol am y daith hon yw ein bod ni wedi cael y cyn-aelodau i gyd at ei gilydd unwaith eto. Felly dyma saith ohonon ni'n perfformio ar y llwyfan. Ac mae hyn wedi creu rhyw sŵn newydd unwaith eto.

Ymarfer yn y Cafe Del Cerro, Santiago.

'Ar Loo' ym Mheriw!

Santiago, Chile 1987

Profi diod cartref
yr Indiaid yn Ecwador.

Ffilmio yn yr Andes.

Prynu sgarff yn Ecwador.

Beth am ddyfodol y grŵp?

Rhyw hanner ffordd yw'r 'Daith Ugain Mlynedd' 'ma. Fe fyddwn ni'n parhau am ugain mlynedd arall, gobeithio. Does dim bwriad rhoi'r ffidil, y delyn na'r gitâr yn y to o gwbwl.

Dwi'n teimlo bod pob albwm yn wahanol, rhyw fath o gerrig milltir ar hyd ein gyrfa, ar hyd y daith. Fe wnawn ni barhau i ddatblygu, gobeithio; ddim o angenrheidrwydd yn gwella ond yn ceisio cadw'n gyfoes a rhoi gwisg newydd bob tro i'r hen alawon.

Nid bwriad Ar Log yw darlithio a phregethu am Gymru ac am y traddodiad gwerin yng Nghymru, ond dysgu pobol, gobeithio, sut i fwynhau'r traddodiad hwnnw. Y mwynhad yw'r prif beth pan fyddwn ni'n perfformio. Cymryd hen alawon traddodiadol a rhoi gwisg newydd iddyn nhw a pheidio poeni am y bobol hynny sy'n cwyno ein bod ni'n defnyddio offerynnau fel gitâr fâs a synths ac yn y blaen. Petai synths i'w cael ddwy ganrif yn ôl dwi'n siŵr y buasai'r cerddorion wedi'u defnyddio nhw.

Yn wahanol i lawer o grwpiau gwerin yng Nghymru, fyddwch chi fyth yn addasu neu gyfieithu caneuon gwerin o'r Saesneg.

Na fyddwn. Pan wnaethon ni gychwyn doeddan ni'n gwybod dim byd am y sîn werin Brydeinig nac Ewropeaidd. Felly, roeddan ni'n chwarae deunydd oedd yn gyfarwydd i ni, sef deunydd Cymreig wrth gwrs ac alawon dawns offerynnol, a gweld be fyddai'r ymateb. Wel, roedd yr ymateb yn anhygoel, a hynny oherwydd y ffordd roeddan ni'n eu cyflwyno nhw ac yn esbonio beth oedd thema'r caneuon. Roedd hynny'n ddigon.

Byddai rhai o'r gynulleidfa yn dod aton ni wedyn ac yn dweud nad oeddan nhw wedi deall un gair o'r caneuon ond roeddan nhw'n medru teimlo'r gân.

Wrth gwrs, mae hanner ein set yn ganeuon a'r hanner arall yn offerynnol beth bynnag. O'r herwydd does dim pwynt cyfieithu. Roedd 'na, ac mae 'na, ddigon o grwpiau'n canu'n Saesneg, ac rwyt ti'n colli rhywbeth mewn cyfieithiad. Cyfoeth caneuon Cymraeg ydi'r iaith.

Pam nad oes grwpiau gwerin Cymraeg eraill wedi dilyn eich esiampl a throi'n broffesiynol?

Dwi'n dal braidd yn drist, ar ôl ugain mlynedd, nad oes 'na grŵp gwerin Cymraeg arall wedi mentro yn broffesiynol. Mae'r gwaith yn dal ar gael. 'Dan ni'n gwybod hynny o'n profiad ein hunain.

Mae gan grwpiau, grwpiau gwerin yn enwedig, fantais. Pan oeddan ni'n mynd i Ewrop i ddechrau roeddan ni'n teimlo ein bod ni dan anfantais oherwydd bod Iwerddon a'r Alban eisoes wedi'u sefydlu eu hunain. Roeddan nhw'n cael cefnogaeth anhygoel mewn gwledydd megis yr Almaen, y Swisdir, Gwlad Belg, yr Iseldiroedd, Ffrainc a Denmarc. Ond roedd gennym ni fantais hefyd. Ni oedd yr unig grŵp proffesiynol o Gymru. Gennym ni oedd y monopoli ac aton ni yr oeddan nhw'n dod pan oeddan nhw angen grŵp Cymraeg. Roedd 'na ddigon o ddewis o Iwerddon, yr Alban a Llydaw.

Wrth ystyried cryfder grwpiau gwerin yr Iwerddon a'r Alban, wyt ti'n teimlo'n siomedig eich bod chi wedi rhoi'r gorau i berfformio yn llawn amser? Fedrech chi fod yn rhyw fath o Chieftains Cymru?

Ar y dechrau roeddan ni'n edrych ar y grwpiau yma o Iwerddon a'r Alban ac yn teimlo bod gennym ni waith caled iawn o'n blaenau. Roeddan ni'n cael ein cymharu â nhw, wrth gwrs, ond roedd gennym ni anfantais gan ein bod yn dod o Gymru lle nad oedd traddodiad gwerin offerynnol fel y cyfryw o'i gymharu ag Iwerddon a'r Alban. Neu felly roedd hi'n ymddangos iddyn nhw. Yno, mae babanod yn cael eu geni efo'r ffidil ar eu hysgwydd bron iawn.

Felly, roedd hi'n anodd torri drwodd ac roedd hi'n waith caled profi bod 'na ddawn offerynnol yng Nghymu ac alawon dawns da. Doedd 'na neb wedi clywed amdanyn nhw, dim ond ambell i gân, ond wyddan nhw ddim ein bod ni'n cynnal dawnsfeydd a'n bod ni, mewn ffordd, wedi mabwysiadu rôl lysgenhadol dros y traddodiad gwerin yng Nghymru. Erbyn hyn mi faswn i'n hollol fodlon petai 'na hanner dwsin o bobol rywle

Rhaid cysgu gyda'r delyn cyn dod i'w nabod hi'n iawn . . .

yn Ewrop yn gwybod am Gymru nawr lle nad oeddan nhw erioed wedi clywed am y wlad o'r blaen.

Wnaethoch chi erioed feddwl y medrech chi fod wedi cyrraedd ymhellach, fel rhai o grwpiau'r Iwerddon a'r Alban?

Mae hi'n braf iawn y dyddiau hyn i weld cymaint o grwpiau gwerin o Iwerddon a'r Alban yn torri trwodd i'r hyn fedrai gael ei alw yn 'uwch adran'. Does 'na ddim llawer o *glamour* yn perthyn i'r byd gwerin — wel, doedd 'na ddim beth bynnag. Roedd rhywun yn cario 'mlaen ar yr un hen gylchdaith gan wneud bywoliaeth iawn. Ond erbyn hyn mae 'na gynghrair uwch lle mae grwpiau fel Runrig a Capercaillie o'r Alban ac eraill o'r Iwerddon, yn enwedig grwpiau iau, yn torri trwodd i gynulleidfaoedd ehangach.

Oherwydd yr adfywiad — neu efallai mai diddordeb newydd diweddar fyddai'r disgrifiad iawn — yn yr hyn sy'n cael ei alw'n *world music* neu *roots music*, mae cerddoriaeth werin bron pob gwlad yn Affrica i'w chael ar silff yn *Virgin Records* neu'r siopau mawr cyffelyb. Mae'r dewis yn wych ac mae 'na gynulleidfa ehangach i ganu gwerin erbyn hyn.

Petaem wedi parhau yn llawn amser yn lle troi'n rhan amser yn '84, hwyrach y bydden ni, erbyn hyn, wedi cyrraedd yr 'uwch adran'.

Efallai mai'r sioc fwya gawson ni pan wnaethon ni ddechrau teithio ar y cyfandir oedd cael pobol yr Almaen yn ein galw ni'n *Englanders* oherwydd nad oedd ganddyn nhw air arall am rywun o Brydain. Roedd hynna yn chwithig iawn. Felly, fe wnaethon ni'n siŵr o'r dechra, yn gwbwl bwrpasol, i ddweud yn union o ble roeddan ni'n dod ac esbonio'r gwahaniaeth rhwng Cymru a Lloegr.

Byddai hyn yn digwydd bob nos wedyn. Roeddan ni'n rhywbeth newydd, ychydig bach yn rhyfedd i'r gynulleidfa efallai gan ein bod ni'n canu mewn iaith nad oeddan nhw wedi'i chlywed o'r blaen.

Manteision chwarae'n llawn amser mewn grŵp gwerin, mae'n debyg, oedd gweld yr holl wledydd 'ma. Cael mynd iddyn nhw am ddim.

Mwynhau ein hunain mewn llefydd na fyddai'r twristiaid fyth yn mynd iddyn nhw. Gweld y wlad go iawn. Cyfarfod â'r bobol go iawn.

Yr anfantais, ar y llaw arall, yw bod y cyfan wedi difetha ein gwyliau arferol ni erbyn hyn, gan ei bod hi'n anodd meddwl am dalu i fynd i wlad dramor er mwyn gorwedd ar y tywod!

Y bwriad o'r cychwyn dwi'n meddwl, heblaw am wneud bywoliaeth a mwynhau chwarae, oedd mynd â rhyw neges drosodd i bobol y tu allan i Gymru am draddodiad canu a thraddodiad alawon dawns ein gwlad. Doeddan nhw'n gwybod dim amdanyn nhw. Roedd hynny i'w weld yn glir o'r noson gynta wrth iddyn nhw ddisgwyl cerddoriaeth debyg i gerddoriaeth yr Alban neu Iwerddon. Y teimlad oedd fod cerddoriaeth Gymreig yn fwy clasurol ei naws.

Roeddan ni'n ymwybodol o hyn ar ôl darllen adolygiadau o'r albwm gynta. Ond dwi'n gwybod bod y gerddoriaeth wedi newid rhywfaint dros y blynyddoedd. Dydan ni ddim wedi newid yr alawon ond rydan ni wedi'u gwisgo nhw'n wahanol dros y cyfnodau oeddan ni'n recordio. Cyflwyno'r bâs trydan i *Ar Log IV*, ac erbyn *Ar Log V* roedd yr allweddellau i mewn. Erbyn *Ar Log VI* cyflwyno mwy o'r *sequencer*.

Dwi'n meddwl ei bod hi'n bwysig newid a datblygu gyda'r oes. Yn ddiweddar bûm yn gwrando ar sawl albwm newydd gan Alan Stivell, Capercaillie ac amryw o grwpiau eraill ac mae eu sŵn hwythau wedi newid hefyd. Mae 'na rhyw elfen gyffredin yn llifo drwy wythiennau'r grwpiau yma i gyd, rhywbeth sy'n dweud wrthyn nhw bod rhaid newid gyda'r oes. Dwi ddim yn gwybod be ydi o. Dwi ddim yn gwybod be ydi'r rheswm. Ond dwi'n teimlo ei bod hi'n bwysig ein bod ninna hefyd yn gwneud yr un peth gan gadw cerddoriaeth werin Gymreig draddodiadol yn gyfoes fel mae'r gwledydd Celtaidd eraill yn ei wneud.

Mae 'na rai grwpiau, fel Altan yn Iwerddon, sy'n cadw'u cerddoriaeth yn bur drwy'r amser, ond mae eraill, fel Capercaillie, yn dal i ddatblygu a dwi'n credu mai dyma'r llwybr i'w ddilyn.

Rydan ni'n newid y gerddoriaeth bob tro fyddwn ni'n recordio er mwyn ceisio cadw cerddoriaeth werin Gymreig yn gyfoes. Dyna'r peth pwysig os ydi hi am oroesi.

Dafydd a Gwyndaf yn sioe Cwmni Theatr Cymru
Harping Around*, 1975.*

Dafydd

Beth wyt ti'n gofio am gael dy gyflwyno i'r delyn?

Bu Gwyndaf a fi yn ffodus tu hwnt. Roedd Telynores Maldwyn, Nansi Richards, yn hen ffrind i Nain ac roedd hi wedi dysgu ewythr i ni, Yncl Dei, brawd Nain, i ganu'r delyn deires.

Yn naturiol felly, roedd gennym ni ddiddordeb yn y delyn ac fe fydden ni'n mynd i glywed Nansi yn aml pan fyddai hi'n chwarae mewn cyngerdd.

Gan fod gennym ni gymaint o ddiddordeb fe aeth 'nhad ati i chwilio am delyn ac fe glywodd fod rhyw nyrs yn Nhreorci â thelyn ar gael. A honno gawson ni — telyn deires.

Fe ddaeth Nansi draw acw i aros, a chychwyn ein dysgu ni ac fe wnaethon ni ddechrau o'r dechrau. Yn naturiol, alawon gwerin oedd hi'n ddysgu i ni a hynny yn y dull gwerin yn hytrach na'r clasurol. Hynny sbardunodd y diddordeb gwirioneddol mewn canu gwerin Cymraeg. Ac o dipyn i beth fe ddechreuodd Gwyndaf a fi gynnal ambell gyngerdd gyda'n gilydd.

Sut wnaeth Ar Log ffurfio?

Roedd Gwyndaf a fi yn aelodau o Brân ac yn 1975 dyma'r grŵp yn chwalu. Ym mis Awst 1976 roedd gŵyl Geltaidd yn cael ei chynnal yn Lorient yn Llydaw a doedd 'na ddim grŵp Cymraeg ar gael i gymryd rhan.

Jack Williams oedd yn gyfrifol am gynrychiolaeth o Gymru ac fe wnaeth o ofyn i Gwyndaf a fi a fydden ni'n fodlon mynd draw, jyst fel dau frawd, i chwarae cerddoriaeth werin Gymreig a Chymraeg. Roedd y ddau ohonon ni wedi bod yn perfformio deuawdau telyn yma ac acw, a'r hyn oedd Jack am i ni wneud oedd cynrychioli Cymru drwy chwarae ambell alaw gan nad oedd unrhyw grŵp, ar y pryd, yn chwarae cerddoriaeth draddodiadol Gymreig.

Fe wnaeth o ofyn i Dave Burns hefyd. Roedd yr Hennessys wedi chwalu a Dave ar ei ben ei hun. Roedd Iolo Jones a oedd newydd adael prifysgol ac yn cyfeilio i grwpiau dawns yn y De ar gael hefyd.

Fe ofynnwyd, felly, i Gwyndaf a fi, Dave a Iolo fynd draw i weld a fedren ni chwarae rhywbeth gyda'n gilydd. A dyna wnaethon ni.

Fe wnaethon ni gyfarfod a thrafod pa alawon oedd pawb yn eu gwybod ac yna eu hymarfer. Fe ffurfiwyd y grŵp ar fyr rybudd a'r bwriad gwreiddiol oedd jyst mynd draw i chwarae yn Lorient.

O ble daeth yr enw?

Ar y ffordd draw y gwnaethon ni benderfynu ar enw. Dyma Iolo'n meddwl mai'r ffordd orau fyddai ceisio cyfieithu *Rent-a-Group*, achos dyna be oeddan ni mewn gwirionedd; pedwar wedi derbyn galwadau ffôn i geisio ffurfio rhywbeth yn arbennig ar gyfer yr ŵyl. A'r enw agosa oeddan ni'n medru ei gael fel cyfieithiad oedd Ar Log.

Gan fod y grwpiau Llydewig i gyd yn 'Ar' rhywbeth neu'i gilydd roedd o'n enw addas iawn, yn enw oedd yn swnio'n Geltaidd. Ond er bod gan yr enw naws Geltaidd, *mercenaries* oeddan ni go iawn.

Pa mor galed oedd hi i droi'n broffesiynol ar y dechrau?

Ar y dechrau, yn '76, roeddan ni'n dibynnu llawer ar Dave Burns oherwydd ei brofiad a'i gysylltiadau drwy'r Hennessys. Ar ôl penderfynu cymryd y cam mawr roedd angen chwilio am waith. Gan fod gen i flwyddyn arall ar ôl yn y coleg doedd hi ddim mor ddrwg arna' i, ond ar ôl dod 'nôl o Lydaw a chael ymateb da, a sylweddoli nad oedd unrhyw grŵp arall yn gwneud yr hyn oeddan ni'n ei wneud fe wnaethon ni benderfynu rhoi cynnig arni.

Yn Llydaw, roeddan ni mewn un cyngerdd wedi rhannu'r un llwyfan â'r Dubliners ac roeddan nhw wedi'n hannog ni i aros gyda'n gilydd. Doeddan nhw erioed wedi clywed cerddoriaeth werin Gymraeg o'r blaen ac wedi'u plesio'n fawr. Hynny, hwyrach, yn fwy na dim byd arall oedd yr anogaeth fwyaf, a dyma benderfynu, 'Reit, fe wnawn ni roi cynnig arni'.

Un peth oedd hynny. Peth arall oedd cael gwaith. Doedd neb wedi clywed amdanon ni ac roeddan ni'n dibynnu ar hen gysylltiadau'r Hennessys. Roedd angen paratoi a dosbarthu taflenni, ffônio o gwmpas y clybiau gwerin drwy Gymru a Lloegr ac yn y blaen.

Yna fe fuon ni'n lwcus i gael gwaith gan y Bwrdd Croeso yn chwarae mewn ambell gynhadledd neu dderbyniad. Roedd y Bwrdd yn awyddus i gael cerddoriaeth gyda naws Gymreig, a dyna sut ddechreuodd y gwaith lifo i mewn.

Prin iawn oedd y gwaith ar y dechrau ond yn ara, drwy ddefnyddio hen gysylltiadau'r Hennessys, fe ddechreuodd pethau wella a thyfu. Ar y dechrau roeddan ni fwy ar y dôl nag yn gweithio. Ond yn ara fe ddechreuodd pethau wyro i'r ffordd arall.

Yn '78 dwi'n cofio cael gwahoddiad yn ôl i Lydaw ac i Wlad Belg. Fe ddaeth y cysylltiad â Gwlad Belg drwy rywun arall oedd yn gweithio yn yr un cylch, John James, y gitarydd *ragtime* o Lanbed. Fe wnaeth o sôn amdanon ni wrth asiant yng Ngwlad Belg ac fe wnaethon ni anfon tapiau draw at hwnnw a chael gwaith.

Wedi i ni gychwyn ar y trywydd yna fe

Dafydd ar y ffliwt.

Gwyndaf, Dafydd a Linda Davies gartref yn y Rheithordy, Llwyngwril tua 1968.

ddaethon ni i adnabod mwy a mwy o asiantau, rhai oedd yn defnyddio grwpiau o Iwerddon a'r Alban a chan nad oedd unrhyw grŵp Cymraeg arall yn y maes fe aethon ni i mewn i'r farchnad.

O dipyn i beth fe ddaeth ein cerddoriaeth ni'n boblogaidd iawn ar y cyfandir, yn enwedig yn yr Almaen. Ac yn ystod y blynyddoedd cynnar roeddan ni'n gwneud llawer iawn o waith yn yr Almaen.

Beth am broblemau llety ac yn y blaen ar y dechrau?

Ar gylchdaith y clybiau, llawer iawn o'r rheiny yn Lloegr, roeddan ni'n chwarae bob nos, bron iawn. Fel arfer roeddan ni'n cael aros yng nghartra trefnydd y clwb neu rywun lleol arall. Cysgu ar lawr mewn sach cysgu oeddan ni gan amla. Iddyn nhw doedd hyn ond yn digwydd unwaith yr wythnos, ar noson y clwb, neu hyd yn oed unwaith y mis. I ni roedd o'n digwydd bob nos, ac fe fyddai aelodau'r clwb yn galw rownd i siarad gyda ni am ganu gwerin hyd berfeddion nos, a hynny bob nos. Yn y diwedd roedd rhywun yn gorfod dweud wrtho'i hun, 'Nefoedd, fedri di ddim cario 'mlaen fel hyn'. Nid jyst siarad am yr un peth drwy'r amser, er bod eu diddordeb nhw'n iawn, ond gwneud yr un peth noson ar ôl noson heb gael digon o gwsg. Ac yna wynebu sesiwn o yrru'r fan a theithio y diwrnod wedyn. Roedd y peth yn mynd yn fwrn.

Yn y diwedd bu'n rhaid i ni benderfynu na allen ni barhau heb gael gwesty, llonydd i gysgu a bod yn effro ar gyfer y diwrnod wedyn.

Chafodd eich penderfyniad chi i droi'n broffesiynol ddim croeso gan bawb.

Naddo. Yn yr wythdegau cynnar roedd 'na adeg pan oedd cylchgronau fel *Sgrech* yn cwyno am ein bod ni'n mynd allan o Gymru i chwarae a pherfformio. Fe gawson ni ein cyhuddo o fradychu Cymru am ein bod ni'n perfformio yn Lloegr ac ar y cyfandir.

Ond y gwir amdani oedd ei bod hi'n rheidrwydd arnon ni i berfformio bedair neu bum gwaith yr wythnos er mwyn cynnal ein hunain a doedd dim modd gwneud hynny yng Nghymru yn unig. Felly roedd yn rhaid mynd y tu hwnt i Gymru i ennill bywoliaeth.

Ond roedd hi'n bwysig i ni fynd y tu allan i Gymru am reswm arall. Roedd angen mynd â cherddoriaeth Gymraeg a Chymreig allan o Gymru ac i'r byd. Roedd cymaint wedi clywed cerddoriaeth Geltaidd — Gwyddelig ac Albanaidd yn arbennig — ond doeddan nhw ddim yn ymwybodol fod 'na gerddoriaeth werinol, offerynnol Gymreig. Roeddan nhw'n gwybod am gorau meibion ac am ferched mewn hetia tal yn canu'r delyn, ond doeddan nhw'n gwybod dim am yr holl stwff offerynnol oedd ar gael, felly roeddan ni'n teimlo fel rhyw fath o genhadon.

Erbyn hyn mae pethau wedi newid yn llwyr gyda grwpia fel Jess, Catatonia a Gorky's yn cael eu derbyn am chwarae y tu allan i Gymru. Maen nhw'n perfformio'n ddwyieithog yng Nghymru hefyd. Ond pan wnaethon ni ddechrau roeddan ni'n teimlo bod pobol yn creu problemau lle nad oedd problemau yn bod.

Faint o broblem fu ymadawiad Iolo?

Yn '78 fe benderfynodd Iolo adael a bu'n rhaid i ni orfod meddwl be oeddan ni'n mynd i'w wneud. Oeddan ni'n mynd i geisio cael rhywun arall neu ddim? Roedd gennym ni daith wedi ei threfnu yn yr Almaen felly dyna benderfynu parhau fel triawd — Dave, Gwyndaf a finna, ac o edrych yn ôl, dwi'n meddwl mai dyna'r adeg gwaetha yn hanes y grŵp. Pan fo rhywun yn colli offeryn mor allweddol â'r ffidil mae 'na wacter mawr ar ei ôl.

Beth bynnag, mi fuon ni'n gweithio am fisoedd yn yr Almaen, ond dwi ddim yn rhy siŵr pa mor hapus oeddan ni mewn gwirionedd. A hwyrach mai dyna pam, tua diwedd '79, yr aeth pethau braidd ar chwâl. Roedd 'na un adeg, ym mis Awst y flwyddyn honno, pan aeth popeth o'i le. Roeddan ni wedi chwarae yn Lorient eto a phethau heb fynd yn rhy dda yno. Yna, teithio ymlaen i Wlad Belg, gyrru drwy'r nos a chael ein hatal ar y ffin gan swyddogion y tollau. Fe wnaeth rheiny sylweddoli bod gennym ni recordiau yn y fan nad oedd wedi'u cofnodi fel rhan o'r

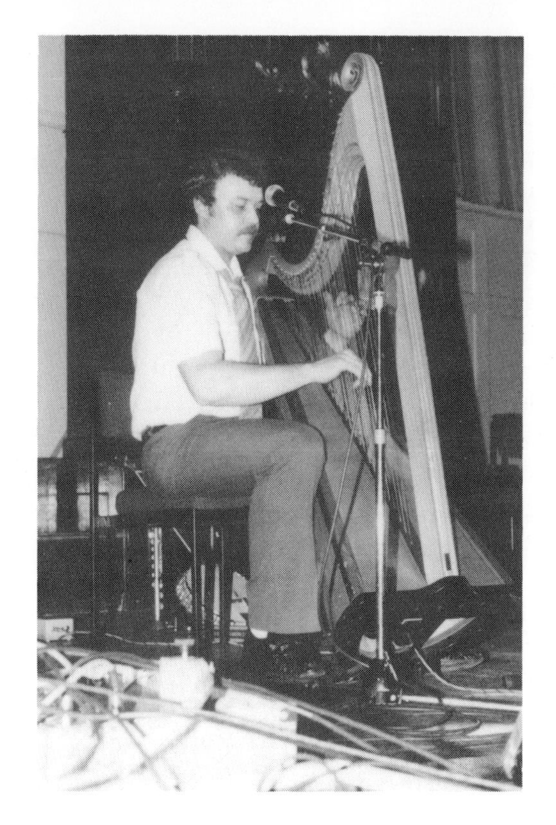

carnet, sef rhan o'r offer swyddogol yn y fan. Y canlyniad fu iddyn nhw fynd â'n Ffrancs ni i gyd ac fe wnaethon ni gyrraedd Gwlad Belg heb arian o gwbwl, bron iawn.

Y noson honno fe aethon ni i'n gwlâu yn gynnar er mwyn cael digon o gwsg cyn yr ŵyl oedd yn cychwyn drannoeth. Pan ddeffron ni yn y bore roedd y fan wedi diflannu. Roedd hi wedi'i chymryd i rhyw bownd ynghanol Gwlad Belg yn rhywle am ein bod ni wedi parcio mewn man anghyfreithlon. Yn y diwedd, y cwbl wnaethon ni oedd mynd i Frwsel i ymweld â ffrindia am ein bod ni'n teimlo mor ddiflas. Ac yno fe wnaethon ni benderfynu rhoi'r ffidil yn y to.

Wnaeth hynny ddim digwydd wrth gwrs, ond ar ddiwedd y flwyddyn fe benderfynodd Dave adael, a dyna wnaeth ein hysgogi ni i osod hysbyseb yn y papur yn gofyn am gitarydd a ffidlwr.

Roeddan ni eisoes yn ffrindia â Geraint Glynne. Roedd o wedi ymuno â ni mewn ambell i sesiwn dros y blynyddoedd, ac yna, o ganlyniad i'r hysbyseb, fe adawodd Graham Pritchard ei swydd fel athro i ymuno â ni.

Hwn, mae'n debyg, oedd y newid mwya. Y grŵp yn ôl yn bedwar aelod ac yn dechrau canu mwy o stwff Cymraeg. Cyn hynny roeddan ni wedi bod yn cynnwys llawer o ganeuon Dave, a gan nad oedd o'n siarad Cymraeg hen ganeuon Saesneg yr Hennessys oedd llawer ohonyn nhw.

Roedd rhoi'r gorau i'w swyddi yn gam mawr i Geraint a Graham.

Oedd, a hwn oedd y trobwynt o ran rheoli'r grŵp. Roedd yn rhaid i ni sefydlu rhyw fath o broffesiynoldeb gan mai hap a damwain fu'r trefnu a'r gweinyddu cyn hynny. Gan fod y ddau aelod newydd wedi gadael eu swyddi ac yn mynd i fod yn ddibynnol ar y grŵp roedd angen ffurfio cytundeb gan benderfynu faint yn union fyddan ni'n ei dalu i ni'n hunain.

Roedd 'na ambell i gyfnod yn brysurach na'i gilydd wrth gwrs, felly roedd angen trefn ariannol. Ond fe wnaethon ni lwyddo i gael rhyw fath o sefydlogrwydd.

Wrth gwrs, roedd yn rhaid i ni barhau i chwilio am waith, ac fe wnaethon ni sylweddoli bod rhaid i ni chwarae, ar gyfartaledd, tua tair wythnos ym mhob mis. Roedd hynny'n golygu pedair neu bum noson yr wythnos. Yn '80 mae'n rhaid ein bod ni wedi perfformio am naw mis allan o'r deuddeg, y rhan fwya ar y cyfandir, yn arbennig yn yr Almaen.

Sut brofiad oedd e i rannu llwyfan ag enwogion y byd gwerin?

Mewn llawer o'r gwyliau gwerin ar y cyfandir mae rhywun yn dod ar draws yr un grwpiau. Hyd at ganol y saithdegau dim ond grwpiau o'r Iwerddon a'r Alban oedd i'w gweld felly roeddan ni'n tueddu i gael ein gwahodd i'r gwyliau hynny am nad oedd fawr neb arall yn chwarae cerddoriaeth werin Gymraeg. Roedd rhywun yn tueddu i ddod ar draws yr un grwpiau, a rheswm arall dros hyn, mae'n debyg, oedd fod llawer o'r grwpiau yn perthyn i'r un asiant.

Beth bynnag, dwi'n meddwl ein bod ni wedi dysgu llawer ac ennill profiad gwerthfawr wrth weithio gyda grwpiau oedd wedi hen sefydlu enwau iddyn nhw eu hunain; grwpiau fel y Dubliners a'r Chieftains. Mae'n siŵr gen i fod rhywun, yn ddiarwybod hwyrach, yn efelychu eu steil nhw gryn dipyn. Er bod y gerddoriaeth Gymreig yn wahanol roedd rhywun yn efelychu steil y grwpiau hyn — efelychu'r boi ar y ffidil, y boi ar y ffliwt a hyd yn oed y boi ar y delyn.

Roedd rhywun yn medru gweld sut oeddan nhw'n addasu yr hen alawon i fod yn fwy poblogaidd. Wedyn, roeddan ni'n mynd adra ac yn meddwl am wahanol ffyrdd i addasu'r gwahanol alawon Cymreig.

Fe wnaethon ni ddysgu llawer am eu proffesiynoldeb nhw hefyd. Mae rhywun yn tueddu i feddwl nad oes 'na fawr o drefn y tu ôl i grŵp gwerin, dim llawer o ddisgyblaeth. Ond mae'n rhaid cael trefn a disgyblaeth, yn enwedig wrth weithio i asiantwyr tramor. Doedd dim posib bod yn hwyr neu ganslo cyngerdd. Roedd yn rhaid bod yno, a hynny mewn da bryd hefyd, hyd yn oed os nad oedd ond naw neu ddeg wedi dod yno i wrando. Er nad oeddan nhw efallai wedi clywed amdanoch chi o'r blaen, roedd yn rhaid i'r cyngerdd fynd yn ei flaen yr un fath. A dwi'n meddwl bod y grwpiau mawr wedi dysgu llawer o hynny inni.

Faint o ddiddordeb yn y delyn deires sydd yna y tu allan i Gymru?

Mae'r delyn deires wastad wedi ennyn diddordeb, yn enwedig ymhlith grwpiau y gwledydd Celtaidd eraill am fod y delyn yn offeryn cyffredin iddyn nhw i gyd. Mae'r delyn yn bwysig i Iwerddon, yr Alban a Llydaw ac mae'r gwahanol delynorion yn tueddu i ddod at ei gilydd i gymharu eu telynau. Mae'r delyn deires yn creu diddordeb am fod pawb isio gwybod sut mae hi'n gweithio — y *chromatics* ac ati.

Mae'r un diddordeb i'w weld yng ngwledydd De America lle ceir telynau o Paragwai, Feneswela, Periw ac yn y blaen. Felly, pan welan nhw delyn wahanol yn y wlad mae hi'n creu diddordeb yn syth bin.

Sut wnaeth pethe ddatblygu ar ôl i'r aelodau newydd ymuno â'r grŵp?

Fel y soniais i, fe aethon ni ati i weithio'n galetach ac ymarfer gyda deunydd newydd Cymraeg. Ond fe newidiodd pethau ymarferol hefyd. Bu'n rhaid i ni gael fan newydd, er enghraifft. Un peth oedd yn ein taro ni ar y cyfandir oedd bod yr asiant wastad yn gofyn a oedd gennym ni fan a system sain ein hunain? Ac felly dyna benderfynu — reit, mae'n rhaid i ni gael ein system sain ein hunain, un fach i'w chario o gwmpas yn y fan. A thrwy gwmni recordiau Dingles o Lundain (fe wnaethon ni record newydd gyda nhw ar y cyd â Sain) fe lwyddon ni i gael system newydd. Felly roeddan ni'n teimlo bod gwell siâp ar bethau, roeddan ni'n llawer mwy trefnus, yn ymarfer mwy ac roedd gennym ni set oedd yn para rhwng dwy awr a hanner a thair awr. Ac wrth gwrs, roedd gennym ni fodd dibynadwy o gyrraedd pob man.

Yn '82, newid eto — Graham yn gadael, a mynd ar ddwy daith gyda Dafydd Iwan.

Pan wnaeth Graham ymuno â ni fe ddwedodd mai dim ond am ddwy flynedd y byddai'n aros. Felly doedd o'n ddim syndod pan ddwedodd, 'Reit, dyna fo, dwi wedi cael digon', ac rwy'n meddwl ei fod o wedi cael llond bol ar yr holl deithio. Roedd y cyfan yn fwrn arno ac roedd o wedi dechrau cael gwaith cyflwyno rhaglenni plant ar y teledu erbyn hynny. Felly fe wnaeth o benderfynu gadael.

Unwaith eto dyma benderfynu hysbysebu am ffidlwr ac felly y cawson ni afael ar Stephen Rees. Roedd Stephen newydd orffen ei arholiadau Safon 'A' ac yn cymryd blwyddyn o seibiant cyn mynd i'r coleg. Felly, er ei fod yn ifanc roedd ganddo flwyddyn o ryddid ac fe ddaeth gyda ni ar un o deithiau Dafydd Iwan er mwyn cael cyfle i chwarae ar lwyfan cyn i Graham adael. Felly roedd o'n gyfnod gwerthfawr yn hynny o beth.

Roeddan ni wedi gweithio ychydig hefo Dafydd Iwan cyn y daith honno, yn niwedd '81 dwi'n meddwl, ond yn '82 y gwnaethon ni benderfynu mynd ar daith hefo'n gilydd. Ac roedd 'na beg da — saithganmlwyddiant marw Llywelyn, ac fe wnaeth Dafydd gyfansoddi 'Cerddwn Ymlaen' ar gyfer yr achlysur.

Bu'r daith yn llwyddiant ysgubol ac roedd rhaid trefnu mwy o gyngherddau nag a fwriadwyd. Wedyn, dyna benderfynu ar ail daith gydag albwm newydd i gyd-fynd â hi. Felly, yn '83 fe drefnwyd 'Taith Macsen'.

Mae'r atgofion sy' gen i am y teithiau yn rhai pleserus iawn, ond fe gododd un anhawster. Dechreuodd pobol ein cysylltu ni'n ormodol â Dafydd. Roedd hi'n 'Dafydd Iwan ac Ar Log' ac erbyn y diwedd roedd pobol yn credu mai *backing group* Dafydd oeddan ni. Oherwydd hynny fe wnaethon ni benderfynu gwneud llai o gyngherddau gyda'n gilydd, ac roedd Dafydd ei hun yn cytuno'n llwyr.

Er mor llwyddiannus fu'r teithiau felly, mae'n bosibl eu bod wedi gweithio yn ein herbyn gan fod pobol yn dechrau meddwl amdanon ni a Dafydd fel un pecyn yn hytrach na grŵp a chanwr ar wahân.

Oedd y ffaith fod Stephen gymaint yn iau na'r gweddill yn broblem?

Dwi'n cofio bod ar daith gyda Dafydd Iwan pan oedd Dafydd yn dathlu ei ben-blwydd. Roedd o ddeng mlynedd yn hŷn na Geraint a Geraint ddeng mlynedd yn hŷn na Stephen. Yn amlwg, roedd o'n newid mawr i Stephen ddod yn syth o'r ysgol i fynd ar daith gyda grŵp.

Ond fe ddaeth â chyfraniad cerddorol gwerthfawr i'r grŵp. Roedd ganddo gefndir cerddorol cry' iawn, wedi bod yn chwarae llawer gyda grwpiau dawns ac roedd ganddo fo stôr o alawon. Oherwydd ei fod o'n foi mor gerddorol dwi'n meddwl ei fod wedi codi safon y grŵp. Roedd o mor amryddawn, yn medru chwarae cymaint o offerynnau, ac ar ben hynny gwnaeth lawer o waith ymchwil i drefniant yr alawon, yn enwedig pan oeddan ni'n recordio.

Beth wyt ti'n gofio am berfformio o flaen y Pab?

'82 oedd hi a dwi'n cofio gorfod cyrraedd Gerddi Soffia erbyn tua pump o'r gloch y bore er mwyn bod yno o flaen y dorf o 300,000 — yn sicr y dorf fwya inni chwarae o'i blaen erioed!

Roeddan ni'n chwarae ar ben sgaffaldia ar y llwyfan agosa at y prif lwyfan a dwi'n cofio chwarae cadwyn o alawon a oedd yn cynnwys 'Tros y Garreg' ac 'Y Ferch o Blwy Penderyn'.

Roeddan ni'n chwarae pan oedd y Pab yn cysegru'r bara yn ystod yr offeren, jyst cyn iddo ddechrau dosbarthu'r Cymun. Fe sylwais ei fod o'n sbio draw yn awr ac yn y man fel pe bai yn mwynhau, ond fe orffennodd ei orchwyl cyn i'r gân ddod i ben ac am eiliad roeddwn i'n teimlo yn eitha pwerus — y Pab yn gorfod aros i ni orffen!

Mi fedra' i gofio'r awyrgylch arbennig a'r carisma oedd yn perthyn i'r Pab. Roedd y lle'n drydanol, ac roedd hi'n amlwg ei fod o'n bles â'r gerddoriaeth. Ond wedi'r cyfan roedd o wedi cael profiad tebyg yn ystod ei ymweliad â'r Iwerddon wrth i'r Chieftains chwarae, ac roedd hi'n amlwg hefyd ei fod o'n sylweddoli ei fod o mewn gwlad wahanol. Wedi iddo gyrraedd Cymru ar ôl teithio naill ai o'r Alban neu o Lerpwl, fedra' i ddim cofio p'run, fe gusanodd y tarmac. Roedd hynny'n gydnabyddiaeth o Gymru fel gwlad ar wahân.

Yn '83, dyma benderfynu ar daith arall.

Erbyn hyn roedd Graham wedi mynd a

Stephen wedi dod yn ei le. Roeddan ni'n ymwybodol mai dim ond blwyddyn oedd gan Stephen cyn iddo fynd i'r brifysgol felly doeddan ni dim yn medru parhau yn llawn amser. Erbyn hyn hefyd roedd Gwyndaf a finna wedi priodi ac roedd gen i blant. Mi ddechreuodd y teithio parhaol fynd yn fwrn ac roedd rhywun yn teimlo'i fod o oddi cartre gymaint, roedd yna adegau pan o'n i'n dod adre a 'mhlentyn i, a oedd tua deunaw mis oed, yn mynd at lun ohona' i yn hytrach na dod ata' i a dweud 'Dad'. Prin oedd o'n fy adnabod i. Roedd rhywbeth fel'na yn taro rhywun a gwneud i mi feddwl, 'Mae'n rhaid i mi roi'r gorau iddi'.

Felly, yn '83 fe wnaethon ni benderfynu chwilio am waith arall. Roedd Gwyndaf eisoes yn gwneud ychydig o waith radio ac fe ge's i swydd ymchwil yn adran blant y BBC yng Nghaerdydd. Felly, mewn ffordd, '83 oedd diwedd y cyfnod proffesiynol o ran gweithio'n llawn amser fel grŵp.

O hynny ymlaen fe aeth hi'n ddigon anodd cael pawb at ei gilydd. Roedd Stephen bellach yng Nghaergrawnt, Gwyndaf a finna yng Nghaerdydd a Geraint wedi symud i Cheltenham. Eto i gyd roeddan ni'n dal i gynnal ambell gyngerdd.

Cawsom gyfle i deithio i Ganada yn '84. Roeddan ni wedi bod yn y gwyliau mawr yn Winnipeg a Vancouver yn '82 ond nawr roedd 'na gyfle am daith go hir a dyma benderfynu gofyn i Iolo a fyddai ganddo ddiddordeb dod 'nôl i'r grŵp ac ymuno gyda Stephen i greu grŵp o bump. Fe wnaeth o gytuno a dyma fynd ati i ddysgu deunydd newydd a gweithio ar drefniannau newydd. Roedd gofyn gwneud hynny gyda dwy ffidil neu ffidil ac acordion, yr allweddellau ac ati. A dwi'n meddwl bod hyn wedi rhoi hwb inni, rhoi ailfywyd inni, ail wynt.

At '85 a* Dwylo Dros y Môr. *Beth wyt ti'n gofio?

Dydd Calan oedd hi dwi'n meddwl, a ninna yn nhafarn Ffostrasol. Roedd Bob Geldof newydd gyhoeddi ei record a dyma ni'n dechrau trafod y peth ac Iolo'n awgrymu y dylen ni wneud rhywbeth tebyg yn Gymraeg. Fe wnaeth pawb gytuno ei fod o'n syniad da.

Ond roedd trefnu'r cyfan yn waith caled iawn — cael pawb ynghyd, yr holl gantorion ac roedd angen cael *pawb*, yn gantorion gwerin, roc, pop neu beth bynnag. Roedd 'na lawer o ddadlau ar y pryd ymysg dilynwyr y byd canu pop, roc a gwerin yng Nghymru ond fe wnaethon ni benderfynu gwahodd pawb a gofyn i Huw Chiswell gyfansoddi'r gân.

O ran y trefnu roedd o'n waith pleserus iawn am fod pawb mor barod. Dyna oedd yn neis am y peth ac fe gawson ni ddiwrnod arbennig yn Stiwdio Loco yng Ngwent. Bu llwyddiant y record yn anhygoel o ran y nifer a werthwyd yn syth bin. Dwi ddim yn meddwl bod unrhyw beth tebyg wedi digwydd o'r blaen. Cymaint o gantorion wedi dod at ei gilydd, waeth o pa faes. Dwi'n meddwl eu bod nhw wedi mwynhau'r profiad hefyd ac ar ben popeth fe lwyddwyd i hel lot o bres at achos da.

Beth wyt ti'n gofio am ddwy daith De America?

Yn '85 fe gawson ni alwad o Lundain gan y Cyngor Prydeinig yn gofyn i ni fynd dramor i chwarae yng Ngholombia ac Ecwador. Wrth gwrs, fedren ni ddim gwrthod cynnig o'r fath ac fe aeth y pump ohonom draw.

Fel arfer byddai'r Cyngor yn gwahodd rhyw fath o ddiwylliant Prydeinig allan i wledydd lle roeddan nhw'n rhannol gyfrifol am ddysgu Saesneg fel ail-iaith. Weithiau byddai grwpiau theatr yn mynd; bryd arall, cerddorfeydd neu grwpiau clasurol eraill. Ond y tro hwn dyma nhw'n penderfynu anfon diwylliant o fath gwahanol, o Gymru.

Doedd nifer y cyngherddau ddim yn fawr ond fe wnaethon ni'n fawr o'r cyfle gan na fyddai taith o'r fath wedi bod yn bosib ar ein liwt ein hunain. Fyddai hi ddim wedi bod yn bosib i ni fedru talu'r costau.

Bu'r daith yn llwyddiant ac roedd 'na ddiddordeb mawr yn y grŵp gan nad oedd cerddoriaeth werin Gymraeg wedi'i chlywed yno cyn hynny. Gofynnwyd i ni wneud taith debyg yn '87. Roedd hon yn daith hirach i bedair gwlad sef Chile, Periw, Ecwador a Cholombia.

Ar y pryd ro'n i'n gweithio i'r BBC a dyma feddwl, tybed a fyddai gan rywun yno ddiddordeb mewn ffilmio'r daith? Byddai'n gyfle i ddilyn ein taith ni i fyny'r Andes o'r De i'r Gogledd ac i adlewyrchu cerddoriaeth grwpiau cynhenid y pedair gwlad. Fe gytunwyd ar hyn ond roedd 'na lawer iawn o waith paratoi. Rhaid oedd cael gwybod ymlaen llaw ble yn union roeddan ni'n chwarae. Roedd angen cysylltu â'r gwahanol grwpiau hefyd, yn enwedig rheiny oedd yn dal i chwarae'r hen delynau. Ro'n i wedi darllen yn rhywle eu bod nhw'n dal y telynau hyn â'u pennau i waered er mwyn medru cerdded yn haws wrth eu chwarae.

Gan ei fod yn deall Sbaeneg fe wnaeth Iolo lawer o waith ymchwil i ganfod pentrefi lle'r oedd rhai o'r grwpiau brodorol hyn yn byw. Fe aethon ni allan am bythefnos i'r gwahanol wledydd i weld ble oeddan ni i fod i chwarae dan nawdd y Cyngor Prydeinig.

Tra'n gwneud hyn fe ddaethon ni ar draws pentre bach, bach i fyny'r Andes uwchben Cuzco lle'r oedd 'na foi yn gwneud telynau ac yn eu dal â'u pennau i waered yn y ffordd draddodiadol tra'n eu chwarae. Roedd hyn yn rhywbeth roedd yn rhaid ei ffilmio, ac felly yn ystod y daith ei hun fe wnaethon ni chwarae rhai cyngherddau o flaen y criw ffilmio yn ogystal ag anfon y criw i ffilmio'r grwpiau brodorol.

Mae'n ymddangos mai ail daith De America oedd uchafbwynt dy yrfa gydag Ar Log.

Yn sicr. Dyna'r daith wnes i fwynhau fwyaf. Cael teithio'r wlad o'r naill ben i'r llall.

Fe gawson ni brofiadau bythgofiadwy. Dwi'n cofio chwarae mewn pentre bach o'r enw Puira ym Mheriw ynghanol nunlle pan oedd pla biwbonic yno. Yn ôl â ni i Lima mor fuan â phosib, ond ar ôl glanio doedd dim golwg o'n hofferynnau ar y belt symudol yn y maes awyr. Yn ei Sbaeneg gorau dyma Iolo'n holi ble'r oedd yr offerynnau a'r ateb gawson ni oedd fod drws yr howld ble cedwid y bagiau ac yn y blaen wedi mynd yn sownd. Y neges nesaf glywson ni oedd fod yr awyren wedi gadael am dde Periw gyda'n hofferynnau yn dal yn yr howld! 'Ond peidiwch â phoeni, fe fydd hi'n ei hôl heno!'

Roedd gennym ni gyngerdd y noson honno (nos Wener) o flaen pwysigion lu gan gynnwys nifer o lysgenhadon, felly roeddan ni mewn tipyn o banig a dyma ddweud wrth y Cyngor Prydeinig beth oedd wedi digwydd. Fe aethon ni 'nôl i'r maes awyr hefo un o swyddogion y Cyngor ond pan gyrhaeddodd yr awyren fe aed â hi yn syth i'r *hangar* gyda'r neges na fyddai hi allan tan ddydd Llun!

Fe aeth hi'n ram-dam go iawn a gorchmynnodd y swyddog rai o staff y maes awyr i dorri drws howld yr awyren i'w agor. Yn y diwedd fe gawsom yr offerynnau, ac yna dyma'i bomio hi'n ôl tua'r neuadd lle'r oedd y pwysigion i gyd yn eistedd yn y rhes flaen heb wybod am y ddrama fawr y buom yn rhan ohoni.

Mae hedfan yn Ne America yn medru bod yn hunllef ond ym Mogota dyma gyfarfod ag Alan, ŵyr yr enwog Howel Hughes a oedd yn berchen *ranch* ger Armero. Roedd o yn y cyngerdd ac fe roddodd wahoddiad i ni fynd 'nôl i'w *ranch*. Fe aeth Gwyndaf, Iolo a fi gydag o yn ei awyren breifat chwe sedd ac yntau'n beilot. Doedd y maes glanio ger y *ranch* fawr mwy na stribed o wair wrth ochr y jyngl.

Buom yn chwarae tipyn o gerddoriaeth ar y *ranch* cyn cael mynd ar gefn y ceffylau gydag Alan. Dyma ofyn iddo pa mor fawr oedd y *ranch*. Ei ateb oedd ei fod o ei hun wedi bod ar goll ar y tir am dridiau.

Fe ge's i gynnig hedfan 'nôl mewn awyren fechan dwy sedd — dim ond fi a'r peilot ac fe dderbyniais y cynnig. Fyny â ni drwy'r cymylau, rownd a rownd er mwyn cyrraedd yr uchder angenrheidiol ac yn sydyn dyma'r peilot yn gofyn i mi fuaswn i'n hoffi hedfan yr awyren. Ac fe wnes, am tua chwarter awr. Fe ddwedodd y peilot wrtha' i am anelu at dwll yn y cymylau ac wedi i ni ddod allan o'r cymylau dyma weld y mynyddoedd tua chan troedfedd oddi tanom ni.

Er mwyn glanio ym Mogota fe gymerodd y peilot yr awenau ond yn hytrach nag anelu tuag at y *runway* dyma fo'n anelu am rhywle i'r chwith a glanio ar y gwair er mwyn arbed y teiars!

Sut oeddet ti'n dygymod â'r bwydydd a'r diodydd gwahanol yno?

Roedd hi'n gryn broblem. Dwi'n cofio Gwyndaf yn Quenco yn Ecwador yn archebu pryd o'r fwydlen — y *special* — ac yn cael mochyn cwta wedi'i rostio.

Yno hefyd tra'n ffilmio gyda'r criw teledu fe wnaeth yr Indiaid lleol gynnig *chicha* i ni, rhyw fath o gwrw lleol oedd yn blasu'n debyg iawn i gwrw macsi ac roedd o'n uffernol o gryf. Roedd yn rhaid i ni ei yfed — byddai'n amharchus gwrthod. Ond yn y cyngerdd yn hwyrach y noson honno fe gawson ni byliau o'r *Inca quickstep*, a dyna lle buom yn rhuthro drwy'r nos rhwng y llwyfan a'r tŷ bach! Ac yn Quito, a oedd 90,000 troedfedd uwchlaw'r môr gallai *dehydration* o ganlyniad i ddolur rhydd fod yn beryg bywyd.

Teimlad rhyfedd oedd chwarae ar y fath uchder. Roedd yr awyr mor denau nes ein bod yn chwarae'n llawer arafach. Roedd y peth i'w deimlo'n glir ond un o'r teimladau gwaethaf gawson ni oedd yn Baranquilla lle'r aethom am swper gyda Rolant, disgynnydd arall i Howel Hughes, i dŷ bwyta lle'r oedd 'na system awyru. Wrth fynd allan i'r awyr agored fe darodd y gwres ni. Roedd o fel cerdded i mewn i ffwrn.

Sut sefyllfa oedd yn bodoli yn y gwledydd hynny ar y pryd?

Roedd Chile mewn sefyllfa ddiddorol iawn ar y pryd gyda *junta* milwrol yn rheoli. Rwy'n cofio mynd i dafarn gydag enw oedd yn golygu *Cath Ddu* ac yno fe gawson ni gynnig lluniau o filwyr yn saethu myfyrwyr. Roeddan nhw am i ni fynd â'r lluniau yn ôl gyda ni i'w cyhoeddi mewn papurau newydd. O dan y fath amgylchiadau roedd hi'n anodd gwybod yn iawn beth i'w wneud ond dyma'r dyn â'r lluniau yn penderfynu drostom ni a dweud mai ei broblem ef a'i debyg oedd hi beth bynnag ac mai nhw ddylai ddatrys y broblem.

Rwy'n cofio chwarae mewn clwb wedyn gyda gŵr o'r enw Eduardo Gatti a oedd yn gyn-aelod o grŵp Victor Jara ac yn hen ffrind iddo. Roedd gweddw Victor Jara yn cynnal cyrsiau dawnsio i fyny'r grisiau yn y clwb. (Cafodd Jara ei boenydio ac yna'i ddienyddio gan y llywodraeth filwrol yn '73 ac fe ganodd Dafydd Iwan gân iddo.)

Er bod rhywun wastad yn teimlo'n annifyr roedd hi'n haws teithio yn Chile nag yn Ecwador. Yno roedd hi'n ofynnol i chi ddangos pob dim oeddech chi'n ei gario a chael rhywun lleol i fynd â chi i bobman. Bu'n rhaid i ni ddangos y ffilm i'r awdurdodau cyn gadael a darparu cyfieithiad Sbaeneg o'r sgwrsio ar y ffilm. Ar ben hynny bu'n rhaid i ni dalu ernes o rai miloedd o bunnoedd i'r awdurdodau ac os nad oeddan nhw'n fodlon â natur y ffilm byddai'r ernes yn cael ei chadw.

Roedd hi'n beth rhyfedd felly ei bod hi'n haws cael caniatâd ffilmio yn y wlad yr oeddech chi'n ei hofni fwya.

Beth fu hanes y grŵp rhwng '87 a'r cyfnod diweddar?

O '87 ymlaen roedd hi'n anos cael pawb at ei gilydd. Wrth i bawb setlo yn eu gwahanol swyddi, achlysurol iawn oedd y teithio. Fe wnaethon ni deithio ychydig yn yr Almaen a mynd i ŵyl yn Nenmarc, ond yng Nghymru oeddan ni'n gweithio fwya, a hynny ar benwythnosau. Bu'n rhaid i Steve orfod gwneud llai a llai, yn enwedig ar ddechrau'r nawdegau.

Fe wnaethon ni gryn dipyn o arbrofi drwy ddefnyddio *sequencers* ar y llwyfan, ac roedd hyn yn medru bod yn fendith ac yn fwrn ar yr un pryd. Dyna pam oedd Steve yn teimlo'n anniddig, hwyrach, am fod y rhan fwya o'r pwysau ar ei ysgwyddau o.

Ond cyfnod go dawel oedd hwn, tan yn ddiweddar pan wnaethon ni benderfynu gwneud albwm newydd i ddathlu'r ugain mlynedd a meddwl ar yr un pryd i ba gyfeiriad oeddan ni am fynd, a sut i ddelio â hynny ar y llwyfan.

Felly, ry'ch chi'n dal i arbrofi.

Mae hynny wedi bod yn digwydd drwy'r amser. Yn yr Almaen, unwaith, dwi'n cofio rhywun yn cwyno bod gennym ni system sain. Roeddan nhw'n credu nad oedd arnon ni

angen *amps* am eu bod nhw'n medru clywed yr offerynnau beth bynnag.

Ond dydi rhywun ddim yn sylweddoli, hwyrach, mor dawel ydi'r delyn o'i chymharu â'r acordion, er enghraifft. Mae system sain yn angenrheidiol os ydach chi'n defnyddio bâs, rhywbeth oeddan ni'n ei ddefnyddio yn eitha cynnar. Mae'n rhaid cael rhyw fath o *amplification* i'r bâs a'r synth. Felly, mater o gydbwysedd ydi o; mi wnaethon ni geisio egluro hynny i'r gynulleidfa yn ystod yr egwyl. Wedi i ni ailgychwyn yr hyn welson ni yng nghefn y neuadd oedd darn mawr o bapur gyda'r geiriau *'Really too loud'* wedi'u hysgrifennu arno. Felly 'wn i ddim oes modd ennill mewn sefyllfa fel honno!

Ond dyma be dwi'n deimlo — pe bai *sequencers* a synths wedi bod ar gael yng nghyfnod ein teidiau a'n neiniau ni, dwi'n siŵr y basan nhw wedi'u defnyddio nhw. Siŵr Dduw!

Mae'n rhaid newid y ffordd mae alawon gwerin yn cael eu cyflwyno. Mae pobol wedi arfer clywed cerddoriaeth yn y cefndir, boed hynny'n rhythm bâs neu beth bynnag, ac os ydan ni'n mynd i gadw'r alawon yn fyw, mae'n rhaid i ni wneud rhywbeth tebyg. Mae llawer o grwpiau Gwyddelig wedi gwneud hynny ers tro gan ddefnyddio peiriannau drymiau a phethau felly. Dwi ddim yn hoff o'r rheiny am eu bod nhw'n swnio mor annaturiol ac mae rhywun yn colli'r teimlad o fod ar lwyfan. Mae'r ffaith fod rhywun yn medru cyd-symud ychydig bach ar lwyfan yn rhoi rhyw naws arbennig i'r perfformiad. Pan mae rhywun yn gaeth i *sequencers* mae'r perfformiad yn colli rhywbeth ar y naill law tra'n ennill ar y llaw arall.

Felly, dros y blynyddoedd, nid yr aelodau yn unig sydd wedi newid ond yr offerynnau hefyd.

Ydyn, mae'r offerynnau wedi newid yma ac acw er eu bod nhw, fwy neu lai, wedi bod yr un rhai. Hynny yw, mae gennym ni ddwy delyn, gitâr, ffidil a ffliwt, a dyna sut oedd hi ar y dechrau; a'r ffaith fod 'na ddwy delyn yn y grŵp sy' wedi'n gwneud ni mor wahanol i grwpiau Celtaidd eraill o'r Iwerddon a'r Alban. Ond rydan ni wedi ceisio cadw'r un math o offerynnau er ein bod yn defnyddio'r acordion, y synth a'r mandolin hefyd. Fe ddaeth Stephen, yn enwedig, â llawer mwy o amrywiaeth i'r grŵp.

Mae rhywun yn clywed grŵp ac yn medru dweud ar unwaith p'run ai grŵp Albanaidd neu Wyddelig sy'n chwarae er eu bod nhw wedi mabwysiadu offerynnau o wledydd eraill, fel y cittern, y bouzouki neu'r mandolin. Mae llawer o hyn yn digwydd gyda grwpiau Gwyddelig yn enwedig, er nad yw'r offerynnau yn rhai cynhenid iddyn nhw nac i'r un o'r gwledydd Celtaidd. Ond eto i gyd mae'r sŵn yn aros rywbeth yn debyg. Yn ein hachos ni mae'r cyfuniad gwahanol a'n defnydd o synths wedi datblygu'r sŵn.

Faint o hwyl sy' 'na ar ôl y cyngherddau?

Mae'r sesiynau anffurfiol yn rhan annatod a phwysig o'r teithio. Ar deithiau mae rhywun yn dueddol o chwarae ac aros yn yr un gwestai gyda'r un grwpiau dro ar ôl tro. Felly, ar ôl y cyngherddau, yn enwedig mewn gwyliau gwerin, mae'r *craic* yn cychwyn a'r sesiwn wedi'r sioe.

Mae 'na elfen o fod isio dadweindio ar ôl cyngerdd ac mae hyn hefyd yn gyfle i chwarae heb deimlo unrhyw bwysau. Yn y dafarn neu'r gwesty ar ôl perfformio mae'r offerynnau ganddoch chi o hyd fel arfer ac mae rhywun yn siŵr o ddweud 'Dewch â chân'. Mae pethau'n digwydd yn naturiol wedyn.

Bryd hynny does dim pwysau arnoch chi ac mi fedrwch chwarae be leiciwch chi. Fel arfer bydd Geraint yn canu caneuon y Beatles neu chwarae roc a rôl er bod llawer o'r bobol yn y dafarn wedi bod yn y cyngerdd. Fasan nhw byth wedi dioddef y fath fiwsig mewn cyngerdd gwerin, ond yn y dafarn wedyn does dim ots.

Mae'r sesiynau hyn yn cynnal rhywun gan fod cyngherddau, weithiau, yn medru bod braidd yn sych a ffurfiol. Yn bersonol, mae'n well gen i sefyllfa gabaret, sefyllfa fwy anffurfiol na chyngerdd hollol strêt lle mae pobol yn eistedd mewn rhesi. Mae hynny'n medru rhoi mwy o bwysau ar rywun ac mae'n

Brân, flwyddyn cyn ffurfio Ar Log.

braf iawn cael jyst chwarae be mae rhywun yn ei fwynhau wedyn.

Taith pen-blwydd 'Ar ôl Ugain', albwm pen-blwydd — beth 'ych chi'n obeithio'i gyflawni?

'Dan ni wedi bod yn gweithio ar gryno ddisg ers tro, a chan fod '96 yn flwyddyn mor arwyddocaol i ni mae hynny wedi rhoi mwy o hwb i ni. Taith fer fydd 'Ar ôl Ugain', ond be sy'n braf yw fod yr hen aelodau i gyd 'nôl ar y daith — Dave, Graham a Stephen, felly mae 'na saith ar y llwyfan.

Dwi'n gwybod pa mor anodd y gall hi fod mewn grŵp — byw ym mhocedi'n gilydd, mynd ar nerfau'n gilydd pan mae rhywun yn teithio am wythnosau, pawb â'u syniadau gwahanol. Dyna pam mae llawer o grwpiau'n chwalu. Ond er holl newidiadau Ar Log mae pawb yn barod i ddod 'nôl i chwarae eto ar yr un llwyfan gyda'i gilydd. Peth braf yw sylweddoli nad oes 'na ddrwgdeimlad wedi bod drwy'r holl newid a datblygu a'r gobaith oedd cael pob math o *permutations* ar y llwyfan a phawb gyda'i gilydd ar y diwedd.

Gyda'r cryno ddisg newydd 'dan ni wedi ceisio arbrofi eto a gwthio'r ffin dipyn bach ymhellach. Mae hi'n haws mentro rŵan. Gan nad ydi'n bywoliaeth ni'n dibynnu ar y grŵp dydi o ddim gymaint o ots os nad ydi pobol yn hoffi'r ffordd ydan ni'n chwarae. Os nad ydyn nhw, wnan nhw ddim prynu'r cryno ddisg. Y peth pwysig ydi ein bod ni wedi ceisio arbrofi dipyn bach eto. A dyna'r ffordd ymlaen.

THE IRISH POST, JANUARY 19, 1980

Playing like past masters

Alone of the Celtic countries, Ireland, particularly in recent years,

FOLK ROOTS. Jan/Feb. 1990. No. 79/8

CELTIC MAGIC – LIVE!

THE ARCADIA, LLANDUDNO, NORTH WA

WEDNESDAY 31 JANUARY, THURSDAY, FRIDAY, SATUR
1, 2, 3 FEBRUARY

4 EVENINGS OF THE BEST MUSICAL QUALITY FROM SCO
IRELAND AND WALES — THE ULTIMATE EVENT TO START OF

LIVE ON STAGE...

AR LOG ✪ BLUES BUNCH ✪ CALE
CAPERCAILLIE ✪ DOLORES KEANE
✪ DE DANNAN ✪ DICK GAUGHA
✪ DUBLIN CITY RAMBLERS ✪
✪ DAVEY SPILLANE BAND ✪
✪ FUREYS WITH DAVEY ARTHUR
✪ HENNESSYS ✪ JUKES ✪ JOHN JAMES
✪ RUN RIG ✪ STOCKTON'S WING ✪

THE ... BE RECORDED FOR
TELEV ... WALES – 4
HOUR ...
MUSIC ...

FURTHER

TICKET
PORT

BILLY KAY PRESENTS THE CONCERT

FEATURING
FROM SCOTLAND
OSSIAN
FROM DONEGAL
CEOLTOIRI ALTAN
FROM WALES
AR LOG

oniant Adloniant

AR LOG — chwarae o flaen tyrfa o 300,000?

AR LOG I'R PAB

Bydd y grŵp gwerin Ar Log yn perfformio yn yr Offeren a weinyddir gan y Pab pan fydd yn ymweld â Chymru y m...
nesaf.

yn cyn mynd i Gaergrawnt i ...
cerddoriaeth.

Perfform...

FOLK ROOTS EBRILL 86

TAITH 'AR ÔL DEG'

AR LOG 'AFTER TEN' Anniversary Tour

APRIL
4 Great Hall, Aberystwyth
5 Town Hall, Pwllheli
6 Arcadia, Llandudno
11 Penyrheol, Gorseinon
12 Leisure Ctr., Carmarthen
13 Sherman Theatre, Cardiff
19 Christ Church, Chelmsford
25 Zwolle, (Netherlands)
26 Dordrecht
27 Tilburg & Alphen a/d Ryn
30 Taunusstein (D)
MAY
2 Ingelheim
2 Wiesbaden
3 Darmstadt
4 Limburg
26 Islwyn Folk Festival
31 Newport (Pemb.) Festival
JUNE
18 Sardinia
19 Sardinia
20 Llandaf

(April 4 - 13 with DAFYDD IWAN) Information 0792 884639/0222 397318

Latest Album AR LOG IV (RAL 001) available from leading distributors

"Ar Log's instrumental ability is a byword for skill and precision" *Southern Rag*

"For my money this is the best AR LOG album yet and well worth buying" *Swagbag*

"(IV) can only enhance their reputation. They are a text-book example of how to take a tradition and enrich it . . ." *Swing 51*

Paul, Dave a Frank yn Yr Hennessys.

Dave

Ti yw'r eithriad yn Ar Log. Yr un dyn bach gwahanol sy' ddim yn Gymro Cymraeg. Yn wir, sydd ddim yn Gymro.

Ie. Fel un o Wyddelod Caerdydd y bydda i'n disgrifio fy hunan. Pan o'n i'n blentyn ro'n i'n ymwybodol iawn o'm tras Wyddelig, fel pawb oedd yn byw yng ngeto Newtown a oedd yn cael ei adnabod fel *Little Ireland* lawr yn y docie. I'r fan honno y daeth ffoaduried o'r Newyn Mawr i adeiladu'r docie ac o fyw mewn geto roedd meddylfryd y geto yn rhan o bob un ohonon ni, yr agwedd 'ni a nhw'.

Yn Newtown yn arbennig, y llinyn cyffredin fyddai'n ein clymu oedd yr Eglwys Gatholig. Roedd pawb yn Gatholig — yn yr ysgol, yn y siop, yn y dafarn ac wrth gwrs yn yr eglwys.

Fy hen dad-cu ddaeth draw yma gyntaf yn 1846, rhyw John Burns a oedd yn goetsmon o Clonnakilty. Felly, yno mae 'ngwreiddie ar ochr Mam ac yn Tipperary ar ochr 'nhad. Cysylltiad arall rwy'n falch ohono yw fod y bocsiwr Jim Driscoll yn ewythr i Mam.

Hwyrach ein bod ni yn ardal y docie yn fwy ymwybodol o'n gwreiddie na'r rhelyw o bobol; yn ymwybodol hefyd mai fel torwyr streic y daeth ein hynafiaid yma gyntaf. Chawson nhw ddim croeso a dweud y gwir. Mae hynna hefyd wedi ychwanegu at y teimlad o fod dan warchae a'r angen inni sticio gyda'n gilydd.

Roedd Newtown yn lle garw iawn ddiwedd y ganrif ddiwethaf, yn ardal lle na fyddai'r heddlu'n mentro mynd yno ar chware bach. Pan fyddai angen holi rhywun, neu gymryd rhywun i'r ddalfa byddai'n rhaid cael cwmni'r offeiriad plwy' cyn medru gwneud hynny.

Wedi'r ddau Ryfel Byd fe giliodd y casineb a'r rhagfarn ond rwy'n dal i gofio 'nhad yn gwisgo sgarff werdd i fynd i Barc yr Arfau pan fyddai Cymru'n chware yn erbyn Iwerddon. Sgarff goch fydde hi bob amser fel arall. Felly roedden ni'n ymwybodol iawn fel teulu o'n cefndir Gwyddelig.

Beth am y cefndir cerddorol?

Roedd Mam yn chware acordion mewn band Sipsiwn, ond doedd hi ddim yn Sipsi; gwisgo fel Sipsiwn fydden nhw wrth chware'n gyhoeddus. Welais i rioed mohoni'n chware, ond fe ge's i'r stori gan aelodau eraill o'r teulu. Roedd nifer o fandiau bach acordion a ffidil o gwmpas y docie yng Nghaerdydd bryd hynny.

Fe wnes i chware'r ffidil yn yr ysgol am gyfnod ond fe dorres fy ysgwydd tra'n chware rybgi ac fe roddes i'r gorau iddi. Yna, pan o'n i tua pedair ar bymtheg fe ddigwyddodd rhywun esbonio wrtha' i fod y mandolin yn cael ei thiwnio 'run fath â'r ffidil, ac fe wnes i roi cynnig arni.

Mae 'na reswm arall hefyd dros chware'r mandolin. Roedd 'na wythnos Gymreig yn arfer bod yng Nghorc bob Pasg ac ro'n i drosodd yn chware dros dîm Dewi Sant 'nôl pan o'n i'n ddwy ar bymtheg oed. Fe ddechreues i sgwrsio â mewnwr y tîm arall ac fe ddwedodd e wrtha' i fod 'na fand gwerin newydd wedi cychwyn yn Iwerddon o'r enw The Dubliners ac roedden nhw wedi rhyddhau record. Ar y pryd y Brodyr Clancy oedd fy arwyr mawr i. Fe brynes i'r record — sengl oedd hi gyda'r *'Wild Rover'* ar un ochr (cân dda bryd hynny, cyn iddi gael ei llabyddio) ac ar yr ochr arall roedd *'Rosin Dubh'* yn cael ei chware ar y mandolin gan Barney McKenna. Fedrwn i ddim peidio chware'r record drosodd a throsodd — nid ochr A ond ochr B. Roedd hi'n swnio mor drist, fedrwn i ddim peidio â gwrando arni.

Wnaeth Frank Hennessy gyd-dyfu â ti yng Nghaerdydd?

Naddo. Fe aeth y ddau ohonon ni i ysgolion gwahanol. Fe wnes i gyfarfod â Paul cyn i fi gwrdd â Frank — Paul Powell — aelod gwreiddiol arall o'r Hennessys. Bydde Paul a fi yn mynd i'r un clwb ieuenctid, y *Central Boys Club*, clwb y bu enwogion fel Joe Erskine a Billy Boston yn aelodau ohono.

Roedd Paul yn dipyn o godwr pwyse bryd hynny ac yn y clwb yn yfed Oxo y bydde'r ddau ohonon ni'n treulio'n amser. Roedd Paul yn godwr pwyse da, ac os fedra' i gofio'n iawn, roedd e'n codi dros y record Gymreig ar y pryd. Roedd Paul yn canu gitâr pedwar llinyn oedd e wedi'i llunio'i hunan hefyd. Roedd e'n tiwnio'r llinynne i un tant, tant agored hynny yw. Roedd e hefyd yn canu tipyn ar y piano.

Un diwrnod gofynnodd rhywun am wirfoddolwyr i helpu yn yr ysbyty. Ar un dydd Iau ym mhob mis bydde pobol oedd yn diodde o MS yn dod draw i gael diwrnod bant a chael cyfle i sgwrsio â hwn a'r llall. Fe wnaeth rhywun ofyn i Paul ddod â'r gitâr draw, ac fe ddechreuodd Paul a finne roi tonc fach iddyn nhw unwaith y mis. Roedden ni hefyd yn helpu'r cleifion i symud o gwmpas, gwneud paned iddyn nhw ac yn y blaen.

Caneuon Gwyddelig oedden ni'n ganu, yn naturiol; Gwyddel yw Paul hefyd. Fe aeth tua blwyddyn heibio cyn i aelod o'r clwb, oedd yn gweithio i gwmni trwsio offer trydan lle'r oedd Frank yn brentis ar y pryd, ddigwydd dweud bod ganddo ffrind oedd yn chware'r gitâr. Dyna sut y cwrddes i â Frank.

Roedd Frank yn perfformio'n aml yn y *Docks' Commons Club* bryd hynny ac fe wahoddodd e Paul a fi lawr 'na. Rwy'n cofio hanner-amser, y tri ohonon ni yn y toiled gyda'n gilydd ac rwy'n credu mai fi ddechreuodd ganu *'Wild Rover'* neu rywbeth tebyg, ac fe ymunodd Frank mewn harmoni uchel. Gyda Paul yn ymuno wedyn fe aethon ni ati i ganu cân ar ôl cân yn y toiled! Dyma benderfynu cyfarfod yn hwyrach yn yr wythnos a dod â'r offerynnau gyda ni i dafarn leol, y *Tredegar Arms* yn Bute Terrace. Wedyn fe gafodd Danny O'Brien wahoddiad i ni chware yng nghlwb Sant Joseph. Felly y cychwynnon ni.

Ond roedd yr Hennessys wedi dod i ben — dros dro beth bynnag — cyn i Ar Log gychwyn.

Yn '71 gadawodd Paul am yr Alban ac fe barhaodd Frank a fi am gyfnod. Doedden ni ddim mewn unrhyw frys i gael rhywun yn lle Paul, nac yn awyddus i gael rhywun fydde'n gadael chwe mis yn ddiweddarach. Yna, wedi deuddeng mis, fe wnaeth Aloma ymuno â ni. Roedd Tony a hithau wedi gorffen fel deuawd ac fe gawson ni delyn at y gitâr a'r mandolin. Bu'r grŵp yn eitha llwyddiannus yn teithio gryn dipyn, hyd yn oed i Gyprus ac fe wnaethon ni dipyn o waith i Jim Lloyd ar *'Folk on Two'* hefyd.

Yna, ar ddiwedd '73, fe gafodd Frank gynnig swydd gyda chwmni peiriannol ei ewythr, a beth bynnag, ar y pryd roedd y sefyllfa yng Ngogledd Iwerddon yn ei gwneud hi'n anodd i grwpiau fel ni. Roedd gwaith yn mynd yn brin yn yr ardaloedd lle'r oedden ni'n adnabyddus yn ogystal â'r ardaloedd oedd yn newydd inni.

Fe geisies i wneud rhyw ychydig ar fy mhen fy hun, ond doeddwn i ddim yn canu'r gitâr bryd hynny, dim ond y mandolin ac roedd hynny'n gwneud pethe'n anodd. Ond fe fanteisies i ar y cyfnod tawel tra'n chware mewn ambell glwb gwerin er mwyn dysgu canu'r gitâr.

Fe weithies i mewn gwaith dur am chwe mis ac mae'r storïe allwn i eu hadrodd am y cyfnod hwnnw'n anhygoel. Roedd e fel bod yn y *Foreign Legion*. Doedd neb yn defnyddio'u henwau iawn, ar wahân i fi, a chlywes i erioed am neb yn mynd at y deintydd mor aml chwaith. Byddech chi'n disgwyl i'w dannedd nhw fod yn ddisgleirwyn ond roedden nhw'n bwdr ac yn ddu. Fe gymerodd gryn dipyn o amser i fi sylweddoli beth oedd yn digwydd. Arwyddo'r dôl oedden nhw wrth gwrs, gan ddefnyddio enwau megis Gary Cooper a James Stewart!

Wedyn fe wnes i adael a chael gwaith lawr yn y docie, gwaith dros dro oedd yn cyd-fynd â thymor y fasnach ffrwythau. Ar y pryd roedd docie Caerdydd yn trafod tua wyth deg y cant o fasnach ffrwythau Ewrop, ffrwythau o Israel yn bennaf. Roedd e'n waith caled — cario bocsus trymion gan ennill tâl fesul bocs yn hytrach nag wrth yr awr. Daeth y gwaith i ben yn araf yn nechrau haf '76, a dyna pryd ddaeth yr alwad dyngedfennol oddi wrth Jack Williams.

Gofynnodd Jack i mi tybed fuaswn i'n hoffi cael wythnos yn Llydaw, ac fe eglurodd ei fod e angen grŵp i chware yn Lorient. Gofynnodd tybed allwn i gael grŵp at ei gilydd i gynrychioli Cymru yn yr ŵyl werin ac ar gyfer rhyw raglen deledu.

Ro'n i eisoes yn nabod Iolo ac roedd e wedi pasio'r prawf pwysicaf oll. Fe wnaethon ni ymserchu'n fawr ynddo pan oedd e tua pymtheg oed pan ddisgynnodd e un noson mewn bar, ar ongl o 45 gradd, ac fe drodd ei gorff fel na wnâi'r ffidil na'r bwa daro'r llawr. Fe adawodd i'w ben dderbyn y glatshen ac fe sylweddolon ni ar unwaith fod y bachan yma'n gerddor. Yn Aberporth ddigwyddodd hynny, lle'r oedd pobol yn dueddol o ddisgyn i'r llawr yn rheolaidd!

Roedd Iolo bron yn unigryw yn y clybie gwerin o gwmpas Caerdydd gan ei fod e'n chware stwff Cymreig. Y ffasiwn ar y pryd oedd chware stwff Gwyddelig, felly fe wnes i ofyn iddo fe ddod i Lydaw ac roedd e'n ddigon bodlon gwneud hynny. Wedyn gofynnes i i Tony O'Donnell a Terry Jackson, dau actor a oedd hefyd yn gerddorion. Roeddwn i wedi gofyn i Heather Jones ganu yn y grŵp ac roedd hi am ddod â gitarydd gyda hi. Fel Grŵp Heather Jones yr oedden ni'n bwriadu chware i ddechre.

Ond yna dyma Tony a Terry yn dweud na allen nhw ddod. Ro'n i'n fodlon mynd i Lydaw yn ddim ond pedwar ond dyma Jack yn ffônio a dweud bod dau frawd, oedd yn arfer chware i Brân, yn rhydd i ddod. Pan glywes i eu bod nhw'n canu'r delyn, wel, roedd e'n newydd gwych, yn arbennig gan fod ganddyn nhw delyn deires.

Tua dau ddiwrnod cyn mynd fe wnaethon ni gyfarfod i ymarfer ychydig o ddarnau offerynnol. Felly fe aeth y chwech ohonon ni draw heb i ni gyfarfod â Heather, gan ei bod hi'n gweithio yn Llundain. Fe gyrhaeddon ni Lorient ar y dydd Sul ac roedd y gig cyntaf nos Fawrth, felly dyma ddweud y bydde pawb yn rhydd tan brynhawn dydd Mawrth, pan fydde ni'n penderfynu pa raglen i'w chware. Ond fe aeth pethe o'i le. Fe ddaliodd Heather rhyw salwch ac fe aeth hi adref, ac fe gollon ni'r gitarydd hefyd. Roedd hynny'n golygu mai dim ond pedwar ohonon ni oedd ar ôl, felly bu'n rhaid inni eistedd lawr a threfnu rhaglen o gwmpas hen stwff yr Hennessys — 'Rownd yr Horn', 'Ffarwel i'r Rhondda', 'Moliannwn', 'Ar Lan y Môr', 'Hiraeth', 'Yr Hen Dderwen Ddu' ac roedd gan Dafydd eitem glocsio. Felly, yn llythrennol, bu'n rhaid inni lunio rhaglen o gwmpas y bwrdd.

Y bwriad oedd perfformio am wythnos yn

Lorient ac yna gwahanu, ond fe arhoson ni gyda'n gilydd oherwydd y Dubliners a oedd hefyd yn chware yno. Fe ddaethon ni'n ffrindiau mawr â Jim McCann a oedd yno yn lle Ronnie Drew ac ar adegau roedden ni'n gweld John Sheahan yno hefyd. Fe gyfaddefodd ef wrthon ni iddo ddihuno un bore i seiniau Ar Log yn chware mewn caffi lawr y ffordd (lle'r oedden ni'n cael ein ffilmio) ac fe fethodd yn lân â dirnad o ba wlad y deuai'r darn offerynnol oedd yn cael ei ganu. Fedre fe ddim mynd yn ôl i gysgu heb ganfod yr ateb drosto'i hun, ac o hynny 'mlaen fe ddeuai draw i wrando arnon ni a'n hannog i barhau. Ar ôl mynd adre ac ystyried ei eiriau a'r ffaith iddo ef o bawb ein hannog, wel, fe benderfynon ni wneud hynny.

Gan dy fod wedi dy fagu yn seiniau cerddoriaeth Wyddelig, oedd hi'n anodd cymryd at gerddoriaeth werin Gymreig?

Ro'n i'n mwynhau chware cerddoriaeth Wyddelig a dyna oedd sail yr Hennessys. Yn wir, aeth Frank a fi i fyw mewn carafán yng Nghorc am flwyddyn er mwyn dysgu mwy. Roedden ni am fod yn gerddorion proffesiynol ac ar ôl i Frank orffen ei brentisiaeth aethon ni draw, heb ddim arian, a mynd i Ardmore yn gyntaf lle'r enillon ni gwpan arian yn '68 mewn cystadleuaeth canu baledi. Wy'n credu i bobol y dafarn lenwi'r cwpan deirgwaith â wisgi. Ac roedd e'n gwpan mawr! Yna aethon ni draw i Gorc, ond bryd hynny doedden ni ddim wedi dod i gysylltiad â chanu gwerin Cymraeg.

Y tro cyntaf i mi ddod ar draws canu gwerin Cymraeg oedd clywed 'Ar Lan y Môr' yn cael ei chanu mewn tafarn. Roedden ni'n arfer yfed gyda'r labrwyr — y nafis o'r docie — yn y *Blue Anchor*, drws nesa i'r *Royal Oak* ar waelod Heol y Santes Fair. Bydde'r tri ohonon ni'n eistedd yno yn chware, ac ymhlith y nafis roedd 'na ddyn â gwallt gwyn, Iori (dim ond wrth ei enw cyntaf roedden ni'n ei nabod e) yr unig Gymro oedd yn gweithio ymhlith y Gwyddelod, ac yn aml deuai cais i Iori berfformio. Bydde Iori'n codi ac yn benthyca ffidil cerddor o'r enw Malachy Clancy ac fe fydde fe'n canu fersiwn offerynnol o 'Ar Lan y Môr'. Wedyn roedd e'n gorffwys y ffidil ar ei ysgwydd ac yn canu'r geirie. Yna byddai'n gorffen drwy ganu'r alaw eto ar y ffidil. Bob tro y byddai Iori yn canu'r gân deuai'r dafarn gyfan i stop.

Yn yr ysgol roedd geiriau 'Hen Wlad fy Nhadau' wedi cael eu dyrnu i mewn i ni, a'r broblem o dan y drefn addysgol bryd hynny oedd bod rhai athrawon mor frwdfrydig nes eu bod yn teimlo rhyw ysfa genhadol, yn enwedig yr athrawon Cymraeg, i addysgu'r pagan fel petai. Roedd ganddyn nhw'r golau gwallgo hwnnw yn eu llygaid a doedd dim yn fwy sicr o'ch troi chi yn erbyn yr iaith na hynny.

Ac roedd y system yn wallgo. Wy'n cofio yn yr ysgol uwchradd, pan oedd gen i ddewis rhwng Sbaeneg a Chymraeg, bydde'r athro Sbaeneg yn ein cyflyru drwy bwysleisio bod yr iaith honno'n cael ei siarad gan draean o bobol y byd. Wedyn bydde'r athro Cymraeg yn ein hannog i ddysgu'r iaith er mwyn ein gwlad.

Roedd hi'n gryn sioc i mi pan ddechreues i deithio gyda'r Hennessys y tu allan i ardal Caerdydd. Er na wnaeth y sioc fy nharo i'n iawn nes ein bod ni'n chware yn Iwerddon a'r gwrandawyr yn gwrthod credu mai o Gymru oedden ni'n dod. Roedden nhw'n credu mai band o Ddulyn oedden ni, ac yn sydyn fe wawriodd arnon ni: os oedden ni'n fand o Gymru, yna fe ddylen ni fod yn perfformio caneuon Cymraeg. Doedd dim pwynt i ni fod yn Wyddelod ail-law. Felly dyma benderfynu dechrau dysgu caneuon Cymraeg.

O'n carafán fe wnaethon ni ysgrifennu at ffrind i ni, merch o'r enw Con Scanlan, a gofyn iddi ffeindio geirie'r gân oedd Iori'n arfer ei chanu yn y *Blue Anchor*. Roedd y dôn gennym ni. Fe sgrifennodd hi at y BBC a thrwy Meredydd Evans dwi'n meddwl y cafodd hi'r geire a'r sol-ffa, ac fe ddysgon ni hi.

Yn Ionawr '69 daethon ni adref ar wylie ac fe sgrifennodd Alec McGinty erthygl amdanon ni yn yr *Echo* gan ddweud cymaint yr oedd y Gwyddelod wedi hoffi ein caneuon Cymraeg. Fe ddarllenodd Ruth Price o'r BBC yr erthygl a gofyn i ni fynd am wrandawiad, ac yno fe wnaethon ni gyfarfod â Rhydderch

Y noson gyntaf erioed!
Lorient, 1976.

Hwylio i Hamburg,
1979.

Jones a Ryan a Ronnie. Ar ôl y gwrandawiad fe aeth Rhydderch â ni i glwb y BBC yn Newport Road ac fe ddaethon ni allan ar ein pedwar tua un ar ddeg o'r gloch y nos i weld ffeit ar y lawnt y tu allan rhwng dau actor nid anenwog!

Ond i ddod 'nôl at y Cymreigrwydd, y Cymreictod yma. Fe wydden ni ein bod ni'n Gymry, hyd yn oed os oedd y ffordd Gymraeg o fyw y tu allan i Gaerdydd mor wahanol, yn arbennig yn y Gogledd. Ac roedd bywyd yn wahanol yn y docie. Yn Ysgol Dewi Sant roedden ni'n cael diwrnod o wylie ar ddydd Sant Padrig a dim ond hanner diwrnod ar ddydd Gŵyl Dewi. Ac ar Ŵyl Dewi roedden ni'n actio rhyw ddramodig fach a chario cleddyfau ac yn y blaen ac yn canu cân neu ddwy yn Gymraeg, y geirie wedi'u clatsho mewn i ni gan y lleianod. Ond ar ddydd Sant Padrig roedd y diwrnod i gyd yn rhydd a phob teulu yn mynd i'r eglwys. Ar ddiwedd yr offeren bydden ni'r plant yn mynd fyny at yr allor ac yn derbyn swp o shamrog, wedi'i ddanfon draw fesul bocsed, oddi wrth yr offeiriad. Roedd gwisgo'r shamrog y bore wedyn yn profi i'r athrawon ein bod ni wedi bod yn yr offeren.

Doedd mynd i Iwerddon ddim yn sioc ddiwylliannol o gwbwl. Roedd bywyd yn ddigon tebyg i'r hyn oedd e yng Nghaerdydd. Ond fe ge's i gryn sioc ddiwylliannol pan es i i Ogledd Cymru am y tro cyntaf. Pan oeddwn i'n ceisio esbonio ystyr *'wake'* roedd e fel petawn i'n cyfadde 'mod i'n yfed gwaed gwyryfon! Dim ond wrth deithio llawer mwy y daethon ni i ddeall arwyddocâd arbennig yr iaith Gymraeg i'r Cymry oedd yn ei siarad.

Cyn hynny doeddwn i ddim wedi cymysgu â siaradwyr Cymraeg naturiol. Yng Nghaerdydd roeddwn i'n dueddol o gyfarfod ag un math o siaradwr Cymraeg, y siaradwr Cymraeg proffesiynol. Nawr, roeddwn i'n hen gyfarwydd â chlywed Somali, Swahili, Ffrangeg ac yn y blaen ar ben y Doc Dwyreiniol lle roedden ni'n byw yn Newtown. Bydde morwyr yn pasio 'nôl a blaen bob dydd yn siarad eu gwahanol ieithoedd, ond fyddwn i byth yn clywed Cymraeg.

Sioc i mi felly oedd mynd i Sir Fôn a gweld rhywun fel Aloma yn byw ei bywyd cyfan drwy gyfrwng y Gymraeg. Er nad oedd arwyddion Cymraeg yn y banc neu'r siop byddai pawb yn ei chyfarch yn Gymraeg. Roedd plismon lleol yn rhoi cyfarwyddiade i chi yn Gymraeg. Fe ge's i fy synnu ac fe agorwyd fy llygaid.

Pobol fel rhieni Rhydderch wedyn. Prin fydden nhw'n siarad Saesneg o gwbwl, ond roedd eu croeso nhw mor gynnes. Yn raddol ce's olwg hollol newydd ar y sefyllfa a magu rhyw fath o ymrwymiad tuag at yr iaith.

Cofia, roedd e'n gweithio'r ffordd arall hefyd. Rwy'n cofio'r sioc ge's i pan glywes i Aloma yn canu penillion. Fe hitiodd y peth fi ond doedd hi'n gweld fawr ddim yn y peth. Roedd hi'n teimlo bod y math hwnnw o ganu yn hen ffasiwn wrth edrych arno o safbwynt Cymreig, ond roedd wynebe'r bobol mewn clybie yn bictiwr pan wnaethon nhw glywed y peth am y tro cyntaf. Clywed Aloma yn canu un alaw tra'n chware un arall.

Ydi cerddoriaeth werin Gymreig yn ddigon cryf i ddal ei thir?

Rwy' i'n credu gall cerddoriaeth Gymreig sefyll ochr yn ochr â cherddoriaeth werin unrhyw genedl dan haul, ond wy'n credu bod y cyflwyno'n bwysig. Cymer Nana Mouskouri a oedd yn medru dringo i frig y siartie Saesnig drwy ganu cân mewn Groeg. Beth sy'n ein hatal ni rhag gwneud yr un peth yn Gymraeg? Fe lwyddodd Nana am iddi gyflwyno'r peth yn iawn. Roedd yn rhaid iddi ddefnyddio Saesneg, mae'n wir, ond mewn Groeg oedd y gân.

Ond eto, wrth gychwyn gydag Ar Log, dy gysylltiadau di y tu allan i Gymru oedd y fantais fawr.

Ie, i raddau. Ar ôl dychwelyd o Lorient fe eisteddais i lawr a phori drwy gopi o'r *Folk Directory* ac yn ystod y misoedd cyntaf fe wnes i'n llythrennol ysgrifennu at gannoedd o wyliau gwerin drwy Brydain yn eu hysbysu am y grŵp newydd yma. Dweud wrthyn nhw pa fath o fiwsig oedden ni'n ei chware, anfon lluniau — nid o'r aelodau yn unig ond o'r offerynnau hefyd gan fod telynau, ar y pryd, yn bethe digon anghyffredin mewn grwpiau

gwerin.

Fe dderbynies i ateb oddi wrth tua ugain ac o blith y rheiny dim ond tri wnaeth addo gwaith i ni a hynny am ddim byd mwy na chostau a threuliau. Ond roedden nhw'n rhai da — Sidmouth, Bracknell a Loughborough, tair o'r gwyliau mwya. Felly cawsom ein gweld yn reit fuan, a hynny gan lawer o bobol.

Pa mor anodd oedd bod yn broffesiynol mewn grŵp Cymreig?

Doedd hi ddim yn galed. Mae 'na ddigon o gyfleoedd i grwpie gwerin proffesiynol, ac wy' wastad wedi credu hynny. Mae cryfder cerddoriaeth Wyddelig wedi profi hynny hefyd. Mae pobol yn barod i wrando ar bob math o gerddoriaeth draddodiadol ac mae'r gynulleidfa yno yn disgwyl am y grwpiau.

Oedd yr ymateb fyddet ti'n gael yn wahanol i'r ymateb fyddai'r gweddill yn ei gael pan yn chwarae mewn ardaloedd Cymraeg?

Wy' ddim wedi gweld hynna'n broblem o gwbwl. Wy' wedi canu llawer gyda Frank Hennessy. Mae Frank yn cyfansoddi caneuon hyfryd yn Saesneg. Mae 'na gyfieithiade o nifer o'i ganeuon, cyfieithiade da iawn, ond wy'n credu mai'r ffordd orau i ganu un o ganeuon Frank Hennessy yw yn Saesneg, gan mai yn y Saesneg y sgrifennodd e hi, a thrwy'r Saesneg mae e'n mynegi ei deimlade orau wrth ganu.

Ond wedyn, pan fydda i'n canu 'Ar Lan y Môr' er enghraifft, mae hi'n well yn Gymraeg am ei bod hi yn gân Gymraeg brydferth. Mae'r geirie Cymraeg yn hyfryd ac o'i chyfieithu hi ry'ch chi'n colli rhywbeth.

Wy' erioed wedi poeni ym mha iaith wy'n canu. Ond wy' ddim yn gweld pwynt cyfieithu er mwyn cyfieithu. Petai'r cyfieithiad yn well na'r gwreiddiol, iawn, ond mae'n well gen i ganu cân yn yr iaith a'r arddull y'i hysgrifennwyd.

Pam wnest ti adael Ar Log?

Wnes i ddim gadael oherwydd un peth penodol. Roeddwn i'n teimlo ar y pryd bod fy nefnyddioldeb wedi dod i ben. Roedd Iolo wedi gadel y flwyddyn cynt, diwedd '78 ac roedd y pedwar aelod gwreiddiol wedi gwneud albwm. Ar ôl i Iolo adael ro'n i'n teimlo ychydig o ddiffyg balans cerddorol. Roedd ganddoch chi'r ddwy delyn a'r mandolin ond doedd e ddim mor finiog a chael y ffidil, mandolin, gitâr a'r ddwy delyn. Wy' ddim yn cofio eistedd lawr a dweud, 'rhaid i mi adael', ond wy'n credu 'mod i wedi cyrraedd rhyw fan pan wnes i sylweddoli y byddai'r grŵp yn well o gael cerddorion newydd.

Wy'n cofio siarad â Geraint tua chwe mis cyn i fi adael ac roeddwn i'n ddigon hapus wrth geisio'i berswadio fe i ymuno fel canwr a gitarydd yn fy lle i. Felly doedd dim byd chwerw ynghylch y penderfyniad. Teimlo o'n i fy mod i wedi mynd mor bell ag y gallwn i o fewn fframwaith y grŵp.

Sut deimlad yw e i gael pawb 'nôl gyda'i gilydd?

Gwych. Wy'n mwynhau'r profiad yn fawr. Wy'n dal i weithio gyda Frank ac Iolo yn rheolaidd, ond mae hi'n braf bod 'nôl gydag Ar Log a bod yn rhan o grŵp mawr lle medrwch chi eistedd lawr a gollwng ambell nodyn heb fod neb yn sylwi. Mae'n haws cuddio pethe!

Mae hi'n wych cael gweithio gyda Gwyndaf, Dafydd a Geraint unwaith eto a gyda Graham a Stephen am na wnes i lawer o waith gyda nhw cyn hyn ar wahân i ddathlu'r degfed pen-blwydd.

Wy' wedi *credu* yn Ar Log o'r dechre, *credu* mewn grŵp Cymraeg a Chymreig sy'n gosod safon ac i fi, Ar Log ydi'r grŵp. Che's i ddim cymaint o hwyl adeg y pen-blwydd deg oed. Roedd fy nghyfraniad i yn rhy bytiog, chware gyda'r criw gwreiddiol am tua ugain munud ac yna'r rhai oedd wedi ymuno ar fy ôl i yn dod ymlaen. Wedyn, yn yr ail hanner, ymuno â Dafydd Iwan. Felly fy unig gyfraniad i oedd chware stwff o'n i'n wybod eisoes, a hynny am ugain munud yn unig.

Yna dyma wahoddiad i ymuno â'r band ar gyfer yr ugeinfed pen-blwydd, a'r ymateb oedd: 'Man a man i fi. Hwyrach na fydda i yma ar gyfer y degfed ar hugain!' Fe dderbynies i gopïau o'r darnau newydd ac wy'n teimlo 'mod i'n rhan o'r peth o'r dechre. Hoffwn i petaen ni i gyd yn medru sticio gyda'n gilydd nawr am gyfnod, wy' wrth fy modd yn cael bod yn rhan o'r peth.

Ac am y cryno ddisg newydd, mae'n braf cael eistedd 'nôl a gwrando ar unrhyw gryno ddisg a dweud, 'Wy'n falch 'mod i wedi cael bod yn rhan o'r peth.' Ac felly wy'n teimlo am *Ar Log VI*.

Iolo

Pryd wnest ti ddechrau ymddiddori yn y ffidil?

Fe wnes i ddechre chware'r ffidil yn Ysgol Rhydfelen. Yn ystod y tymor cyntaf ro'n nhw'n cynnig gwersi ar offerynnau megis y ffliwt, y soddgrwth a'r ffidil. Telyn hefyd, wrth gwrs ac fe wnes i ddysgu canu'r delyn am ychydig, rhyw ddwy flynedd falle. Ond i ganu'r delyn yn iawn mae'n rhaid gadael i flaenau'r bysedd galedu a gan bo fi wedi penderfynu canolbwyntio ar y ffidil bu'n rhaid i mi roi'r gorau i'r delyn wedyn.

Cerddoriaeth glasurol o'dd fy mhrif faes i ers y dechre. Cerddoriaeth glasurol ddysges i yn yr ysgol a cherddoriaeth glasurol ddysges i ar y ffidil. Yn y Brifysgol wedyn, cerddoriaeth glasurol, fwy neu lai, o'n i'n astudio yno hefyd. Felly mae hynny wedi bod yn anodd i fi — pontio rhwng y clasurol a'r gwerin. Ro'dd e'n achosi tipyn bach o benbleth i mi. Mae 'na rai sy'n medru gweithio mewn dau faes gwahanol yn gwbwl hawdd. Dyna i ti Andre Previn er enghraifft, sy'n gallu newid o fod yn gerddor jazz i fod yn arweinydd byd enwog. Ond ro'n i'n tueddu i gael problem gosod y byd gwerin ar wahân am nad yw e falle mor uchel ei barch â'r clasurol. Wy'n cael yr argraff fod Stephen Rees wedi'i chael hi'n haws i wneud y pontio 'ma.

Oedd y diddordeb gwerin yna drwy'r amser?

Fe wnes i ddechre ymddiddori mewn canu gwerin pan o'n i tua phedair ar ddeg neu bymtheg oed pan glywes i recordiau Steeleye Span a phobol debyg ac un neu ddau o gerddorion Gwyddelig hefyd. Cyffro'r gerddoriaeth oedd yn fy nharo i a'r ffordd roedden nhw'n chware'r ffidil. Ro'n i jyst yn teimlo ei bod hi'n ffordd gyffrous dros ben.

Ond yn Rhydfelen doedd y byd gwerin ddim hyd yn oed yng nghefen fy meddwl; ro'n i am fod yn gerddor clasurol. Felly yn ddamweiniol y digwyddodd hyn. Ar ôl clywed recordiau canu gwerin ac arbrofi tipyn gartref, ffeindies i 'mod i'n gallu chware'r math yna o stwff yn eitha hawdd. Yna bu rhywun yn ddigon caredig i brynu cwpwl o lyfre i mi — *O'Neil's 1001* oedd y cyntaf ge's i — ac fe wnes i ddarganfod 'mod i'n medru efelychu'r arddull yn dda iawn a'i fod e'n plesio'r gwrandawyr hefyd.

Wyt ti'n ymwybodol dy fod ti wedi mabwysiadu steil arbennig? Neu ai rhywbeth sy' wedi tyfu'n naturiol yw e?

Pan wnes i ddechre mynd o gwmpas a gwrando ar bobol eraill mewn gwahanol wyliau gwerin — es i draw i Bromyard ac i bopeth oedd yng Nghaerdydd — fe wnes i brynu un record arbennig gan ffidlwr o'r enw Martin Byrnes. Bûm yn gwrando llawer ar honno a mabwysiadu ei arddull ar y record. Arddull County Clare oedd hi, arddull ddigon clasurol mewn ffidlo Gwyddelig a hynny, hwyrach, oedd y cynsail i mi. Ro'n i'n edmygu Peter Knight o Steeleye Span yn fawr hefyd.

Wedyn, wedi i mi ddod i adnabod llawer o alawon Cymreig ro'n i'n ceisio addasu rhai o'r arddurniadau ro'n i wedi'u dysgu, y *turns* a'r *mordents* ac yn y blaen. Roedd rhai alawon Cymreig yn gweithio ar y ffidil bron ar unwaith a'r rheiny oedd y rhai o'n i'n canolbwyntio arnyn nhw wedyn.

Sut wnes ti ymuno ag Ar Log?

Ro'n i wedi bod yn astudio cerddoriaeth ym Mhrifysgol Rhydychen a thra o'n i yno fe ddechreues i fynd allan i glybiau gwerin ar fy mhen fy hun i chware'r ffidil. Erbyn hynny ro'n i 'n medru chware tipyn o gerddoriaeth Wyddelig — *jigs* a *reels* ac ati ac roeddwn i'n mynd i'r dafarn yma, *The Welsh Pony*, lle'r o'dd lot o gerddoriaeth Wyddelig yn cael ei chware. Ar ôl dechre cael blas ar y math yma o gymdeithasu byddwn yn gwneud yr un peth gartre yng Nghaerffili. Cyfarfod â Dave Burns a mynd i ryw glwb neu'i gilydd yng Nghaerdydd i chware ambell alaw.

Wedyn dechreues i feithrin diddordeb mewn dysgu a chware alawon Cymreig a cheisio cyflwyno ychydig o naws Wyddelig i mewn iddyn nhw — alawon o'dd â mwy i'w wneud â cherdd dant, falle, na dim byd arall.

Yna, ce's wahoddiad i fod yn rhan o grŵp fyddai'n mynd draw i gynrychioli Cymru yn Lorient. Ro'n i'n byw yng Nghaerffili ar y pryd a doeddwn i ddim yn nabod Gwyndaf a Dafydd o gwbl. Felly dyma nhw'n dweud y bydden nhw'n dod lawr i 'ngweld i, ond roedden nhw'n ymddangos yn yr Eisteddfod Genedlaethol yn rhywle. Beth bynnag, roedd hynny'n golygu na fydden nhw'n cyrraedd Caerffili tan tua phedwar o'r gloch y bore ac fe drefnwyd 'mod i'n gadael y ffenest ffrynt ar agor iddyn nhw. Felly, yn orie mân y bore a finne'n cysgu, dyma ddau ddieithryn yn dringo i mewn drwy ffenest y tŷ a dyna sut wnes i gyfarfod â Dafydd a Gwyndaf am y tro cyntaf!

Yn hwyrach y bore hwnnw dyma ni'n cwrdd â Dave Burns i ddechre ymarfer fel pedwarawd. Ro'dd gennym ni ddiwrnod, wy'n meddwl, i ymarfer cyn gadael am Lorient. Wel, gyda'r pedwar ohonon ni yn dod o wahanol gefndiroedd roedd gan bawb rywbeth gwahanol i'w gyfrannu o ran repertoire, ond roedd rhai pethe yn gyffredin i ni — rhai caneuon, rhai alawon ac fe wnaethon ni wneud hynny fedren ni o fewn diwrnod. Wedyn mater o ddysgu wrth fynd ymlaen o'dd e.

Wedi i chi gyrraedd Lorient, fe gawsoch chi dipyn o anogaeth gan ffidlwr arall, John Sheahan o'r Dubliners.

Do, a'r hyn sy'n ddiddorol yw mai un o arwyr John Sheahan oedd fy arwr inne, fel y sonies i, Martin Byrnes. Ond ro'dd yr hwb gawson ni gan John yn allweddol i'n penderfyniad i barhau. Rwy' wedi cadw rhyw fath o gysylltiad ag e gydol yr amser.

Mae'n gyd-ddigwyddiad rhyfedd fod John a finne ein dau yn edmygu Martin Byrnes. Ddaeth Byrnes ddim yn enwog iawn. Chafodd e fawr o lwc yn ystod ei fywyd a bu'n gweithio fel garddwr yn Nulyn tan ei farwolaeth ddwy flynedd yn ôl. Ro'dd e'n dlawd iawn pan fu farw ond fe wnaeth e un record ac mae 'na bethe gwych ar honno.

Ar Log 1977

Beth am y dyddiau cynnar — teithio fel band proffesiynol?
Amser gwych. Mewn ffordd ro'dd e'n rywbeth digon hawdd i ni achos roedden ni i gyd ar y pryd newydd adael coleg a phawb ohonon ni mewn sefyllfa i roi cynnig arni. Lwc o'dd e. Hap a damwain ddaeth â ni at ein gilydd. Ond ro'dd e'n gyfle gwych.

Ro'dd yr hyn oedden ni'n ei wneud yn dal dychymyg pobol, a rhoddodd hynny hwb mawr i ni barhau. Roedden ni'n dysgu wrth fynd ymlaen — dysgu repertoire newydd ac arbrofi gydag e naill ai ar lwyfan neu mewn sesiwn anffurfiol ac felly ro'dd ein rhaglen ni'n tyfu. Er ein bod ni'n cael ymarferiadau ffurfiol o bryd i'w gilydd, ro'dd natur ac ansawdd y grŵp yn dibynnu ar brofiad.

Fe deithion ni yng Nghymru yn ogystal â'r gwledydd Celtaidd eraill. Iwerddon — Connemara, Killarney, Kerry; wedyn i Lydaw, yr Alban a draw i Ynys Skye ac ro'dd yr hyn oedden ni'n wneud yn canu cloch gyda'n

Yn y cyngerdd cyntaf yn Lorient.

cefndryd Celtaidd mewn ffordd uniongyrchol iawn. Gawson ni lawer iawn o hwyl.

Oedd e'n fywyd caled?
Wel, roedden ni'n cysgu yn y fan ac yn byw yn y fan, fwy na heb. Ro'dd hen fan Transit goch gyda Gwyndaf ac yno yr oedden ni'n gwneud popeth — bwyta a chysgu ar wahân i'r nosweithiau pan fydden ni'n cysgu ar lawr rhywun. O'dd, ro'dd bywyd yn medru bod yn reit llwm weithiau o ran diffyg moethusrwydd. Ond roedden ni'n cael llawer o hwyl.

Beth am y penderfyniad i adael yn '78?
Mae angen person arbennig iawn i fod yn aelod o grŵp fel Ar Log. Mae 'na hwyl i'w gael wrth gwrs a gwaith sy'n rhoi llawer o foddhad, ond mae angen gweld pethe yn y tymor hir yn ogystal. Ro'n i'n mwynhau'r gwaith ond yn teimlo dipyn bach yn anfodlon am nad o'n i'n gwneud gwaith cerddorol arall, gwahanol. Falle, i ryw raddau, bod hynny'n deillio o'r math o gefndir addysgol ge's i a'r cefndir academaidd. Falle bod yna rhyw ddisgwyliadau personol gen i nad oeddwn i wedi'u cyflawni. Dwi wedi difaru erbyn hyn na wnes i weld bod modd cyplysu'r ddau beth.

Naill ai oherwydd rhyw gamddealltwriaeth ar fy rhan i neu ddylanwad fy nghefndir, mae 'na dueddiad wedi bod ynof erioed i weld cerddoriaeth glasurol, ffurfiol ar rhyw lefel arbennig tra bo jazz, blues, cerddoriaeth werin neu boblogaidd ar lefel llai cynhwysfawr. Rwy'n credu bod hynna wedi 'nal i 'nôl. Ro'n i'n teimlo nad oeddwn i'n cyflawni yr hyn y dylwn i fod yn ei wneud.

Bellach mae hynna wedi newid ac mae agweddau pobol at gerddoriaeth wedi newid hefyd. Dwi'n gweld nawr fod y cwricwlwm cerddorol mewn ysgolion yn cynnwys cerddoriaeth o wahanol gefndiroedd ac yn dangos bod pob math o gerddoriaeth yn bwysig. Does dim un math o gerddoriaeth yn well nag un arall, dim ond yn wahanol.

Pam wnest ti ailymuno â'r grŵp?
Roeddwn i wedi bod yn ennill rhyw fath o fywoliaeth yn y byd cerddorol, yn dal i chware'r ffidil gyda gwahanol bobol o bryd i'w gilydd ac yn cyfansoddi tipyn bach o gerddoriaeth ar gyfer y teledu ac ati, pethe fel cyfres Wil Cwac Cwac. Ond doeddwn i ddim yn ennill ffortiwn ac ro'n i'n dal i deimlo'n anfodlon fy myd mewn ffordd. Felly pan ge's i wahoddiad i ailymuno â'r grŵp ro'n i'n falch iawn o gael gwneud hynny, yn enwedig cael cyfle i fynd 'nôl ar y llwyfan yn amlach.

Roedd aelodaeth y band wedi newid erbyn hynny. Sut roeddet ti'n teimlo ynghylch y peth?
Roedd Stephen yn gaffaeliad mawr i'r grŵp, yn fachgen hynaws ac yn gerddorol iawn. Ro'dd e'n dod o'r un cefndir addysgol â fi i ryw raddau ac yn canu'r ffidil a'r acordion a chyfansoddi alawon. Ro'n i'n falch o'r cyfle i gael gweithio ar drefniadau gyda ffidlwr arall ac ecsploetio'r ffaith fod gennym ni ddau lais fel petai.

Gydag Ar Log rwyt ti wedi chwarae gyda Graham, wedyn Stephen, a nawr y tri ohonoch chi gyda'ch gilydd. Oes 'na wahaniaeth mawr rhwng y tri ohonoch chi o ran arddull?
Mae 'na wahaniaeth, oes. Beth ydw i wedi bod yn geisio'i wneud yn ddiweddar gyda rhai o'r alawon ry'n ni'n eu chware yw sgrifennu ychydig o'r trefniadau fel ein bod ni i gyd yn chware yr un ffordd. Os o's gan bobol syniadau digon annhebyg, 'dyw e ddim bob amser yn gweithio pan fo dau neu fwy yn chware'n fyrfyfyr gyda'i gilydd os nad yw arddull un yn plethu gyda'r llall.

Gyda thair ffidil, mwya yn y byd o baratoi, gorau i gyd. Mae hi'n waith anodd cael tri offeryn melodig fel'na i addasu'n fyrfyryr ar yr un pryd. Ond mae tair ffidil gyda'i gilydd yn grêt.

***Beth wyt ti'n gofio am* Dwylo Dros y Môr?**
Wel, dwi'n cofio taro ar y syniad yn nhafarn Ffostrasol ar ddydd Calan ar ôl bod yn chware yn rhywle y noson cynt. Dros gwpwl o beints yn y *Ffostrasol Arms* roedden ni'n digwydd gwrando ar y fersiwn Saesneg o gân *Live Aid* ar y *juke box*. Dwi'n meddwl mai dyna pryd

Ar Log 1976, cyn i Dafydd adael y coleg ac ymuno â'r grŵp yn llawn amser.

gawson ni'r syniad ac fe ge's i sioc fod yr aelodau eraill wedi mynd â'r peth i'r eithaf a threfnu gwneud y record.

Sut aeth y ddwy daith i Dde America?

Roedd gweld y byd a gweld pobol newydd, gwledydd newydd a diwylliant newydd ar y ddwy daith i Dde America yn brofiad gwych. Fe dde's i adnabod llawer iawn o bobol.

Yn Chile de's yn gyfeillgar ag un o gerddorion roc y wlad, Eduardo Gatti. Wy'n dal mewn cysylltiad ag e hyd heddiw.

Ym Mheriw wy'n cofio bod yn Lima a gweld cyngherdde'n cael eu trefnu mewn meysydd parcio. Er bod bywyd yn llwm iawn yn Lima, yr holl slyms, ro'n nhw'n medru mynd ati i adeiladu llwyfan mewn maes parcio a threfnu i grwpiau chware cerddoriaeth fywiog, boblogaidd. Roedd lot o asbri yno, hyd yn oed ynghanol yr holl dlodi.

Fe dde's i adnabod mwy fyth o bobol ym Mogota. Ro'dd Ysgol Rhydfelen yn derbyn cynorthwy-ydd iaith o Golombia bob blwyddyn a thrwy ddod i adnabod merch oedd yn gynorthwy-ydd yno cyn i mi fynd draw fe dde's i adnabod llawer o bobol ym Mogota drwyddi hi. Mae eu hagwedd nhw at fywyd yn hollol wahanol i ni. Pobol Ladinaidd ydyn nhw, sy'n cymryd pethe fel maen nhw'n dod. Maen nhw'n fwy agored eu meddwl, falle, nag ydyn ni'n dueddol o fod yn y gwledydd mwy gogleddol. Wy'n cofio cael cinio gydag un ferch, Dora, o'dd yn athrawes mewn ysgol uwchradd ym Mogota, a thua diwedd amser cinio ro'dd hi'n edrych ar fy watsh i, a finne'n holi: 'Odi hi ddim yn bryd i ti fynd 'nôl i'r ysgol nawr?'

'O,' medde hi, 'fe af i mewn munud. Os gyrhaedda' i'n brydlon fe fyddan nhw'n meddwl nad oes gen i ddim byd gwell i'w neud.' Dyna agwedd wych o'dd ganddyn nhw.

Beth am y daith a'r record newydd?

Gwych. Fe ddaeth popeth at ei gilydd yn hynod o gyflym. Mae hynna wedi fy synnu i. Ro'n i'n meddwl y bydde hi'n cymryd amser inni gynefino â'n gilydd unwaith eto ac ro'n i'n ofni y bydde ychydig o chwithdod. Ond doedd dim byd felly o gwbwl. Fe wnaethon ni glatshio mewn iddi yn syth, a ffwrdd â ni. Wy' wedi bod yn lwcus iawn 'mod i wedi bod yn gweithio'n gyson dros y tair neu bedair blynedd diwetha 'ma gyda Dave Burns fel rhan o grŵp Yr Hennessys. Felly dwi'n chware gyda Dave a Frank Hennessy yn rheolaidd nawr ac mae gennym ni, fel yn nyddie cynnar Ar Log, rhyw repertoire ein hunain o ganeuon Cymraeg ry'n ni'n chware, fi ar y ffidil, Dave ar y mandolin a Frank ar y gitâr.

Mae 'na berthynas rhwng aelodau Ar Log o hyd ac rwy'n dal i fod yn aelod, wrth gwrs. Wy'n credu ein bod ni i gyd wedi cael hwyl o'r daith 'Ar ôl Ugain', mwy nag o'n i'n ddisgwyl a dweud y gwir. Mae e wedi bod yn brofiad grêt i weithio gyda phob aelod o'r gorffennol a'r presennol. Mae 'na nifer o gyfuniadau newydd allwn ni wneud a hefyd mae llai o bwysau arna' i. Rwy'n teimlo llai o bwysau gan fod 'na saith ohonon ni ar y llwyfan. Yn nyddie cynnar Ar Log dwi'n cofio dim ond tri ohonon ni weithie ac ro'n i'n teimlo'n noeth iawn ar lwyfan bryd hynny.

Pa mor ymwybodol wyt ti o'r datblygiad o fewn Ar Log o un record i'r llall?

Fy hoff recordiau i ar hyn o bryd yw'r gyntaf a'r ddiweddaraf wy'n credu. Ro'dd yr ail record yn stwff oedden ni wedi bod yn ei baratoi pan oedden ni'n gwneud yr albwm gyntaf. Wedyn, ar y drydedd, pan nad o'n i'n ymwneud â'r grŵp o gwbl, mae 'na lot o stwff cyffrous ar honno. Ro'dd y bedwaredd albwm yn fwy *laid back* falle. Wedyn ma' lot o drefniadau neis ar y bumed. Erbyn hyn mae naws y caneuon yn llai byrfyfyr na'r rhai cynnar.

Ar yr un newydd mae'r nifer fwya o'r alawon yn rhai gwreiddiol gen i. Ro'dd gen i ran eitha pwysig wrth ddewis y repertoire, felly ro'n i'n gallu cynnig alawon o'dd gen i ddiddordeb mawr ynddyn nhw ers amser.

O ran y trefniadau, ro'dd gen i beth dylanwad, ond ar y cyfan fe ddwedwn i fod Myfyr, y cynhyrchydd, wedi gweithio mwy ar y trefniadau y tro hyn. Ro'dd gweithio 'da Myfyr Isaac, cynhyrchydd y record, yn wych. Ro'dd e'n cymryd cymaint o'r baich oddi arnon ni. Ro'n i wedi gweithio gydag e cyn hynny wrth i mi baratoi'r gerddoriaeth ar gyfer y gyfres deledu 'Cyw Haul', felly ro'n i'n eitha cyfarwydd â'i ffordd e o weithio. Ma' Myfyr wedi llwyddo i dynnu rhyw rinweddau cudd allan ohonon ni. O'dd isie rhyw symbyliad fel'na arnon ni wrth i ni i gyd ddod 'nôl at ein gilydd.

LLWYNGWAIR

(Ar Log V)

IOLO JONES

Enwyd hon wrth gofio noson hir a hwyliog yn nhafarn Llwyngwair, Sir Benfro.

GORSAF Y GOF

(Ar Log VI)

IOLO JONES

Alaw a gyflwynwyd i'r gof Dave Petersen er mwyn ceisio codi arian i Ŵyl Gofaint yng Nghaerdydd.

HARRI MORGAN

(Ar Log VI)

IOLO JONES

Alaw a enwyd ar ôl Cymro a fu yn y Caribî ymhell cyn ymweliad Ar Log â'r rhan honno o'r byd.

YR EINGION DUR

(Ar Log VI)

IOLO JONES

Alaw arall a gyfansoddwyd ar achlysur Gŵyl Gofaint Caerdydd.

JIGOLO

(Ar Log VI)

IOLO JONES

Dechreuodd fywyd fel 'Jig Iolo' ond roedd y gair mwys yn ormod o demtasiwn!

Geraint

Beth yw dy gefndir cerddorol di?
Mae 'na gefndir cerddorol. Mae'n debyg fod hen ewythr i mi yn rhedeg band Llanrwst rywbryd, ac mae 'na sôn am hen, neu hen hen daid a ddiflannodd i America yn y ganrif ddiwethaf. Fe ddangosodd ymchwil gan Gareth, fy mrawd, iddo gael ei ffeindio yn chwarae sacsoffôn mewn rhyw glwb yn y Gorllewin Gwyllt.

Mae'r teulu presennol i gyd yn gerddorol i ryw raddau, ac i 'nhad mae'r diolch mwya am hynny. Er nad oedd Mam yn gerddorol fy 'nhad oedd y tenor gorau yn y byd. O leia, dyna oedd o'n gredu. Roedd o'n meddwl na allai neb yn y byd ganu 'Arafa Don' yn well nag o, TG, ac roedd o'n ffan mawr o David Lloyd a Gigli yn arbennig. Roedd o'n awyddus i ni'r plant fod yn gerddorol.

Pan oeddan ni'n byw yng Nghaerdydd dwi'n cofio fy mrawd, Gareth, oedd tua wyth oed, a minna yn chwech oed yn cael ein hanfon at yr athrawes orau yn y ddinas — Mrs Dixon. Dyma hi'n mynd â ni at y piano ac yn rhoi tragwyddol heol i ni chwara unrhyw beth. Dyma Gareth yn mynd 'plinciti-plonc' a minna'n mynd 'plinciti-plonc' a dyma hitha yn pwyntio at Gareth a dweud, *'I'll take that one'*.

Rwy'n cofio Aled, brawd arall, yn cael gwersi piano rywbryd hefyd, ond fe ddihangodd o. Y gwir amdani yw na che's i erioed wers yn fy mywyd a beth bynnag, fe ddaeth y Beatles ac fe aeth unrhyw ddiddordeb mewn cerddoriaeth glasurol allan drwy'r ffenast ac roedd yn rhaid i mi gael gitâr. Fe ge's i un gan Santa Clôs ac yna un well gan fy rhieni ar yr amod y baswn i'n dysgu *finger-plucking*.

Fûm i erioed yn *folky*. Y Beatles a Meic Stevens oedd yr arwyr. Rwy'n dal i fod yn ffan mawr o Meic. Efallai nad ydi o'n sylweddoli, ond fe ddysgodd o lawer i mi, yn enwedig sut i drin yr offeryn a thiwnio ac yn y blaen. Ond o ran canu pop, ar ôl y Beatles dim ond un grŵp oedd 'na — Queen.

Dyna ti'n sôn am ddylanwad Meic Stevens. Wyt ti'n ymwybodol o ddylanwad unrhyw un arall ar dy steil di o chwarae?
Wel, roedd rhywun yn gwella wrth glywed pobol eraill ar y gwahanol deithiau ac mewn sesiynau ar ôl perfformio. Mewn gwestai neu dafarndai roedd rhywun yn cael bod yng nghwmni gitarwyr gwych fel Dan Ar Braz er enghraifft. Ond i mi, y gitarydd gorau yn y byd yw Brian May o Queen. Dwi'n 'nyts' am Queen ac i raddau maen nhw wedi dysgu llawer i ni. Does 'na ddim unrhyw debygrwydd rhwng Queen ac Ar Log wrth gwrs, ond maen nhw wedi ein dysgu ni fod pobol sy'n talu pres i'n gweld a'n clywed ni yn disgwyl sioe, nid jyst clywed cân ar ôl cân ar ôl cân.

Petaet ti ddim wedi troi at y byd gwerin, fyddet ti wedi mynd i chwarae mewn band pop?
Mae'n beryg y byddwn i. Fe ge's i gyfle i wneud hynny cyn i Ar Log gychwyn. Roedd Gwyndaf, Dafydd a finna ar fin ffurfio grŵp pop o'r enw Tân ac fe wnaethon ni ymddangos ar un rhaglen deledu. Ond dyma Gwyndaf a Dafydd yn cael yr alwad yma i fynd i Lydaw gyda Dave ac Iolo. Yr unig uchelgais sy' gen i bellach yw bod yn aelod o fand *rhythm and blues*, ond tydw i ddim yn ddigon hen i hynny eto.

Ond fe ddest ti i hoffi cerddoriaeth werin.
Fedra' i ddim dweud i mi erioed fod yn *folky* ond bûm yn canu mewn grŵp gwerin o gwmpas y gogledd ac unwaith fe es i i weld grŵp Alan Stivell ym Mangor yn y saithdegau cynnar. Dyna pryd wnes i sylweddoli sut argraff y gallai rhywun fel Stivell ei wneud petai o'n Gymro ac yn chwara yng Nghymru ac fe ddechreuodd petha, rywfodd, ddisgyn i'w lle.

Sut wnest ti ymuno ag Ar Log?
Wel, dwi'n nabod Gwyndaf a Dafydd ers '75, pan oeddan ni'n chwara gyda'n gilydd a chyd-weithio ar daith gyda Chwmni Theatr Cymru ym Mangor a Betws-y-coed.

Flwyddyn yn ddiweddarach fe ddechreuodd y grŵp a phan fyddai'r hogia yn chwara yng

Seibiant bach ym Mheriw.

Recordio 'Cerddwn Ymlaen' — y daith gyntaf gyda Dafydd Iwan.

Nghymru roeddwn i'n cael cyfla i fynd allan am sesh efo nhw. Ond yna, yn sydyn, gadawodd Dave Burns a dyma Gwyndaf a Dafydd yn gorfod penderfynu p'run ai i chwalu'r grŵp neu ddod o hyd i rywun arall. Os am barhau roedd angen canwr a ffidlwr.

Ar y pryd roedd gen i swydd gyfrifol gyda'r Gwasanaeth Iechyd. Yr hyn ddigwyddodd dwi'n meddwl oedd bod Graham Pritchard a finna wedi cyfarfod a gwneud adduned hefo'n gilydd — rhyw fath o 'wel mi wna' i os wnei di'.

Roedd Graham o Mynediad am Ddim yn athro mathemateg yn Aberystwyth a rhyw gytuno ar y cyd wnaethon ni. Ar y pryd doedd o ddim yn ymddangos yn benderfyniad mor fawr â hynny, ond mae llawer wedi gofyn i mi ers hynny pam wnes i roi'r gorau i swydd mor saff. Ond mi roedd o'n gyfle, ac mi faswn i wedi difaru 'taswn i wedi'i wrthod o.

Oedd bywyd yn galed?

Yn galed? Dwn i ddim. Roedd o'n wahanol, oedd, achos do'n i ddim wedi teithio rhyw lawer y tu allan i Gymru cyn hynny a'r peth cyntaf wnaethon ni ar ôl taith yng Nghymru oedd mynd ar daith i Loegr.

Mae'r sefyllfa canu gwerin yn Lloegr yn wahanol iawn i Gymru. Mae 'na gymaint o glybiau gwerin ac fe wnaethon ni ymweld â llawer o'r clybiau yna cyn mynd ymlaen i'r Alban.

Oedd, roedd bywyd yn galed mewn ffordd hwyrach, ond fe gawson ni hwyl ac mae rhywun yn dueddol o gofio'r hwyl yn hytrach na'r pethau nad oedd yn gymaint hwyl.

Sut aeth pethe yn ystod 1980, y flwyddyn gyntaf?

A'r grŵp yn gyflawn unwaith eto roedd Gwyndaf a Dafydd yn benderfynol o gael blwyddyn lawn o gyngherddau. Cefais fy synnu wrth weld rhestr y cyngherddau oedd wedi'u trefnu ar ein cyfer.

Fe wnaethon ni gychwyn yng Nghaernarfon. Roedd hi'n noson ofnadwy am fod pawb mor nerfus a'r lle'n orlawn, ond fe ddaethon ni'n gyfarwydd â pherfformio'n gyhoeddus ac fe aethon ni ymlaen i Loegr a'r Alban ac yna i Lydaw am bythefnos. Ymlaen wedyn i'r Almaen am tua pum wythnos.

Roedd bywyd yn galed, ond yn gyffrous hefyd gan nad o'n i'n rhyw gyfarwydd iawn â mynd dramor. Doedd gen i ddim gair o'r iaith ac roedd hynny'n chwithig braidd. Ond fe wnaethon ni gyfarfod â llawer o bobol ac roedd o'n beth da fod 'na fynd mawr ar fiwsig Celtaidd yn yr Almaen ar y pryd ac felly roeddan ni'n ffitio i mewn yn iawn, yn fwy felly, hwyrach, nag yn yr Alban neu Iwerddon. A chan nad oedd llawer o'r Almaenwyr wedi clywed sôn am Gymru, heb sôn am gerddoriaeth Gymreig, fe gawson ni dderbyniad da.

Beth am y bywyd teithiol?

Er bod y grŵp wedi bod wrthi ers '76, roedd angen i ni wneud enw i ni'n hunain ar ein newydd wedd. Felly, ar y dechrau, roeddan ni'n cysgu ar lawr tŷ neu stafell rhywun ond wrth i ni ddod yn fwy adnabyddus fe wnaeth pethau wella wrth i ni fedru fforddio cysgu mewn ambell westy a theithio mewn fan mwy moethus.

Sut brofiad oedd cyd-weithio â Dafydd Iwan? Sut gychwynnodd pethe?

Roeddan ni'n canu mewn rhyw ŵyl werin yn Berlin ac roedd Dafydd Iwan yn canu yn rhywle arall yn y ddinas. Yn y diwedd fe wnaethon ni ddod o hyd iddo fo mewn rhyw glwb nos. Fe roeson ni lifft 'nôl iddo fo i'r gwesty ac o hynny 'mlaen daethon ni i'w adnabod o'n dda.

Dydw i ddim yn cofio os y gwnaethon ni ganu gydag o ar y daith honno ond fe gawson ni syniad i wneud sengl hefo'n gilydd. Roedd Dafydd wedi sgwennu cân newydd o'r enw 'Cerddwn Ymlaen' ond ei bod hi wedyn wedi datblygu i fod yn gân wahanol iawn i'r fersiwn glywson ni am y tro cyntaf yn Berlin. Roedd angen ei newid hi a'i threfnu hi'n well a rhoi ambell i gord gwahanol yma ac acw. Fe gawson ni gymaint o flas ar bethau fel i ni fynd ati i drefnu taith saithcanmlwyddiant marwolaeth Llywelyn.

Yn ystod y daith honno roedd pob man dan ei sang. Dwi'n cofio'r daith honno'n well na'r un arall, hwyrach. Fe ddaeth hi'n amlwg fod pobol angen mwy ac fe wnaethon ni record hir a sôn am daith debyg y flwyddyn wedyn.

Ar gyfer yr ail daith, er ei bod hi wedi'i threfnu, fe deimlodd Dafydd ei fod o am roi'r gorau iddi. Roedd o'n dechrau teimlo ei fod o'n mynd yn hen. Roedd o yn ei dridegau hwyr bryd hynny a dyma fo'n dweud, 'Dyma'r daith ola' i mi'. Wedi iddo gyhoeddi hynny roedd pob neuadd yn llawn dop ac fe gafodd o gymaint o flas arni nes iddo newid ei feddwl am roi'r gorau iddi. Ac mae o mor brysur rŵan ag y bu o erioed wrth gwrs.

Sut oeddet ti'n dygymod â'r ffaith fod Steve gymaint yn iau?

Wel ia, mae Steve ddeng mlynedd yn iau na fi a phan wnaethon ni gyfarfod gyntaf dim ond rhyw bedair ar ddeg oedd o.

O'r dechrau roedd hi'n amlwg ei fod o'n foi hoffus iawn a phan wnaeth Graham a fi ei glywed o am y tro cyntaf, y ffordd oedd o'n trin yr acordion a'r ffidil, roeddan ni wedi'n swyno.

Roedd hi'n rhyfedd meddwl am rywun mor ifanc yn ymuno â hen stejars fel ni, ond roedd ei ddawn a'i awydd i fod yn un o'r grŵp mor gryf nes i ni benderfynu, ar ôl ychydig wythnosau, mai hwn oedd y boi i ni.

Ar y pryd roedd o newydd adael yr ysgol yn Rhydaman ac ar fin cymryd blwyddyn rydd cyn mynd i'r coleg. Fe aeth y flwyddyn yn fwy na blwyddyn wrth gwrs, ac rwy'n meddwl iddo dyfu i fyny yn gyflym iawn yn ystod y flwyddyn gyntaf. Dysgodd lawer gan offerynwyr eraill, yn yr Alban yn arbennig. Yn wir, fe wnaethon ni i gyd ddysgu llawer ganddyn nhw. Ar ôl cyngerdd roeddan ni'n mynd am beint neu ddau i rywle ac wedyn yn cael sesiwn a dysgu cordiau newydd, fi ar y gitâr, Graham ar y ffidil a Steve ar yr acordion a'r ffidil. Roedd hynny'n wir hefyd am Gwyndaf a Dafydd ar y telynau, ond eu bod nhw'n dysgu artistiaid eraill efo'r delyn deires. Felly roedd pethau'n gweithio'r ddwy ffordd. Hynny yw, roedd pawb yn elwa.

Beth am deithiau i America?

Wedi i ni deithio Ewrop i gyd bron iawn, fe wnaethon ni dorri tir newydd drwy fynd i America. Roedd cerddorion o Gymru wedi bod yn America ymhell o'n blaenau ni wrth gwrs, ond nid mynd draw i chwara i'r Cymry ar Wasgar yn unig oedd ein bwriad ni. Roeddan ni am chwara i bobol America — chwara i bobol oedd isio'n clywed ni.

Cawsom groeso mawr a chyfarfod llawer iawn o bobol ddiddorol, ac fe gawson ni'n gwahodd 'nôl i America ac i Ganada. Ond wedi i'n gwragedd ni ddechrau cael babis fe aeth pethau'n anodd. Wnaethon ni ddim ffraeo na dim byd felly, ond bu'n rhaid inni drafod parhad y grŵp ac ystyried y posibilrwydd o chwilio am swyddi parhaol a pherfformio'n rhan amser, a dyna ddigwyddodd. Ond wedi gwneud hynny dyma ffeindio ein bod ni bron mor brysur ag oeddan ni pan yn llawn amser. Y gwahaniaeth oedd, dwi'n credu, ein bod ni'n mwynhau'r peth yn fwy am nad oedd angen inni feddwl am fywoliaeth, a doedd o ddim yn fater o drefnu popeth o gwmpas y grŵp. Eilbeth oedd hynny bellach, ac felly roeddan ni'n mwynhau mwy.

Fe ddychwelodd Iolo yn '84. Newid arall.

Ia, newid arall. Mae'n wir fod y *line-up* wedi newid dros y blynyddoedd, ond daeth Iolo'n ôl am fod Graham wedi penderfynu rhoi'r gorau iddi, yn ôl ei fwriad gwreiddiol. Roeddan ni ar fin mynd i Dde America am rhyw chwe wythnos a doedd Graham ddim isio gwneud hynny. Gan fod ganddon ni bum tocyn wedi'u harchebu dyma ni'n gofyn i Iolo fasa fo'n hoffi dod, dim ond ar gyfer y daith honno'n wreiddiol. Ond ar ôl y daith, fe wnaethon ni deimlo bod pethau wedi mynd mor dda efo'r ddwy ffidil a'r acordion, a bod Iolo a Stephen yn gweithio mor dda efo'i gilydd, nes inni benderfynu gofyn iddo fo barhau ac mae Iolo wedi bod yn ôl efo'r grŵp ers hynny.

***Pa ran oedd gen ti yn* Dwylo Dros y Môr?**

Os dwi'n cofio'n iawn, fe gychwynnodd pethau ar ôl sgwrs, os alli di'i galw hi'n sgwrs, yn nhafarn y *Lamb* yn Llan-rwbath-neu'i-gilydd yn y De. (Roeddan ni wedi bod yn canu'r noson cynt, Nos Galan.) Roedd *Feed the World* wedi bod yn hynod o lwyddiannus ac Iolo awgrymodd, dwi'n meddwl, y dylsan ni wneud rhywbeth tebyg.

Roedd gennym ni'r artistiaid yng Nghymru ac erbyn hyn roedd gennym ni label recordiau Ar Log ac felly roedd modd gwneud hynny. O fan'no y datblygodd y peth — Dafydd Iwan yn addo dosbarthu'r record drwy Sain a Huw Chiswell yn cytuno i gyfansoddi'r gân. Dyma ni'n dod o hyd i'r adnoddau technegol a'r canlyniad fu i ni gael record safonol dros ben.

Yn dilyn cyhoeddi'r record roedd yn rhaid i ni drefnu cyngerdd wrth gwrs ac fe wnaethon ni hynny yn ystod Eisteddfod yr Urdd Caerdydd, dwi'n meddwl.

Beth am y daith i Dde America?

Cawsom wahoddiad i fynd yno ynghanol yr '80au. Torri tir newydd unwaith eto. Fe aethon ni i ddwy wlad — Ecwador a Cholombia a'r hyn dwi'n gofio'n benodol wrth hedfan i Golombia oedd y rhybudd gawson ni i fod yn wyliadwrus am ei bod hi'n wlad beryglus, peidio mynd â watsh aur a phethau felly. Ddim fod ganddon ni watshus aur! Fe'n rhybuddiwyd ni i beidio â cherdded ar ein pennau ein hunain gyda'r nos ac yn y blaen.

Wnaethon ni ddim gwrando, ond roedd hi'n amlwg fod yna densiwn ofnadwy yn y wlad. Pan oeddan ni'n canu mewn un neuadd byddai'n rhaid cael bois y fyddin i'n cael ni i mewn ac i fynd â ni allan yn saff. Roedd *bomb scare* wedi bod yno y diwrnod hwnnw.

Ond roedd hi'n daith ddiddorol iawn ac fe gawson ni gymaint o hwyl fel bu'n rhaid inni fynd yn ôl. Ar gyfer yr ail dro fe wnaethon ni drefnu taith mis mewn pedair gwlad. Yr hyn oedd yn wahanol y tro hwn oedd y criw camera ddaeth efo ni, ac ar ben hynny roeddan ni'n rhannu llwyfan efo artistiaid o dras Indiaidd a Sbaeneg.

Un noson, ar ôl canu mewn neuadd yn Santiago, Chile dyma rhyw foi nad oeddwn i erioed wedi clywed sôn amdano o'r blaen yn dod draw. Ei enw oedd Eduardo Gatti ac ef, mae'n debyg, oedd yn cyfateb i Dafydd Iwan Chile, neu Bob Dylan Chile, a dyma fo'n dweud ei fod o wedi leicio'r 'Aderyn Pur' a gofyn gâi o ganu'r gân efo ni y noson wedyn. Fe gafodd, a hynna oedd uchafbwynt y daith i mi.

Beth yw dy deimladau di ar ugeinfed pen-blwydd y grŵp?

Yn fuan wedi i ni ddod 'nôl o Dde America roedd Ar Log yn dathlu ei ben-blwydd yn ddeg oed, ac fe wnaethon ni drefnu'r daith 'Ar ôl Deg'. Mae'r ddeng mlynedd diwethaf wedi mynd fel y gwynt nes ein bod ni rŵan yn trefnu'r dathliad pen-blwydd 'Ar ôl Ugain'!

Roeddan ni'n gwybod y byddai 'na rhyw fath o sbloet, a 'dan ni wedi bod yn trefnu'r sbloet ers misoedd lawer. Tua blwyddyn yn ôl fe wnes i ofyn i Dafydd Iwan tybed fasen ni'n gallu gwneud sengl, plis, achos roedd gennym ni gân addas ar gyfer y Nadolig a Nos Galan. Yr ateb gawson ni gan Dafydd oedd, 'Na, achos tydan ni ddim yn gwneud senglau bellach ond mi rydan ni'n gwneud LPs a 'dan ni isio i chi wneud LP'.

Felly dyma drefnu'r caneuon oedd gennym mewn golwg, ond doeddan ni ddim isio treulio gormod o amser mewn stiwdio. Ni oedd wedi cynhyrchu pob un o'n recordiau cyn hynny, ar wahân i'r record gyntaf a dyma ni'n dweud wrth Dafydd Iwan, 'Wel, mi wnawn ni'r LP os gawn ni gynhyrchydd. Ac os 'dan ni'n cael cynhyrchydd, 'dan ni am gael y gorau un'. Yn y pen draw fe gawson ni'r gorau un, Myfyr Isaac.

Roedd o'n dipyn o syndod i mi ei fod o wedi cytuno i wneud y record efo ni, ond dyna sut fu pethau ac roedd o'n brofiad addysgol iawn. Addysgol am iddo fo gymryd pethau o'r grŵp nad oeddan ni'n ymwybodol ohonyn nhw. Er enghraifft, y ffordd 'dan ni'n chwara'r offerynnau. Mae'r ffordd mae Iolo yn chwara'r ffidil ar y record yn rhywbeth sy' wedi fy syfrdanu i. Fe wyddem ni i gyd am ei allu, ond mae Myfyr wedi llwyddo i'w ymestyn o, neu fel 'dan ni'n ddweud yn Nyffryn Conwy, ei stretshio fo. Ac mae o wedi llwyddo i wneud hynny inni i gyd. Mae'r leins ffidil mae Iolo yn eu gwneud ar y record yn anhygoel.

Mae Myfyr wedi dysgu lot o waith gitâr i mi hefyd. Ro'n i wastad wedi bod yn rhyw fath o gitarydd rhythm. Efo Iolo a Steve a Graham

ar yr offerynnau blaen, doedd dim angen i mi wneud mwy na hynny. Ond gan Myfyr mi ge's i ordors i ymarfer ffordd newydd o chwara ac mae hynny, gobeithio, yn mynd i sticio efo mi. Be oedd o'n ffeindio'n bwysig oedd fod isio bylchau mewn mannau arbennig. Felly dwi wedi dysgu llawer ac mae ein dyled ni i gyd yn fawr i Myfyr.

Beth mae Ar Log yn obeithio'i gyflawni gyda'r daith pen-blwydd?

Mae'r daith yn rhyw fath o adlewyrchiad o'r daith wnaethon ni ddeng mlynedd yn ôl, ond gan ein bod ni'n mynd 'nôl i flynyddoedd cynharaf y grŵp mae'n rhaid cael yr holl aelodau yn ôl. Felly mi fydd 'na rhyw wyth neu naw ar y llwyfan.

Ond hefyd mae gennym ni sŵn newydd, y sŵn 'dan ni wedi'i ddarganfod ar gyfer y record newydd yma. Felly dwi'n gobeithio y bydd y bobol sy'n dŵad i'r cyngherddau yn gweld y newid ond ein bod ni hefyd yn glynu efo'r hen. Cymysgedd o'r hen a'r newydd fydd o, mynd ymlaen yn ogystal â mynd yn ôl.

Beth am y dyfodol?

Wel, 'dan ni wedi bod yn edrych ymlaen at y daith yma. Mae hi'n rhoi rhyw ysbryd newydd ynom ni. 'Dan ni wedi gweithio'n galed, ond nid dyna fydd diwedd pethau. Er bod y grŵp yn ugain oed, dwi'm yn gweld unrhyw reswm pam na ddylsan ni barhau gan fod canu gwerin yn rhywbeth sy'n para am byth er ei fod o'n newid o hyd. Fe fydd Iolo neu Steve neu bwy bynnag yn dal i sgwennu caneuon newydd ac yn dal i ailwampio hen ganeuon. Er enghraifft, ar gyfer y record ddiweddaraf 'dan ni wedi creu fersiwn newydd o 'Myfanwy'. Bydd rhai yn gofyn sut oedd hi'n bosib gwneud 'Myfanwy' mewn ffordd wahanol. Wel, gobeithio ein bod ni wedi llwyddo.

Be dwi ddim am ei weld yn digwydd yw'r hyn welais i yn Llandudno ddoe — gweld poster o Marty Wilde a Joe Brown and the Brothers yn dod 'nôl ar gyfer un daith. 'Swn i ddim yn hoffi i hynna ddigwydd i ni — dwi'm yn ei weld o'n digwydd beth bynnag gan ein bod ni'n dal i fod yn brysur ac mae hynny'n ein cadw ni'n weddol ifanc.

O gofio yr holl alawon mae Ar Log wedi'u chwarae, oes 'na ffefryn?

Mi faswn i'n gwbl hapus tasan ni ddim yn canu sawl un fyth eto. Y rhai poblogaidd, hyd yn oed 'Lisa Lân' a 'Lleucu Llwyd'. Ond taswn i'n gorfod dewis ffefryn, mae'n debyg mai

'Merch y Melinydd' fasa hi. Dwi wrth fy modd yn ei chanu. Mae hi'n fendigedig. Mae pob dim ynddi hi. Cofia, dwi'n hoff iawn o'r 'Deryn Pur' hefyd, ac 'Wyt ti'n mynd i Sir Amwythig'. Cân wych. Ond bob tro fydda i'n ei chanu hi mi fydda i'n cael rhyw ffobia wrth gofio amdana' i yn ei chanu hi un noson yng Nghorwen ac yn anghofio nid yn unig y geiriau ond y dôn hefyd. Mae hi'n gân wych, ac er mai cân fodern yw hi — yr alaw gan Gwyndaf a'r geiriau gan Myrddin ap Dafydd — fe fydd hi'n gân werin rywbryd.

Sut wyt ti'n teimlo erbyn hyn am y purwyr fu yn eich beirniadu?

Mae'r grŵp wedi newid, o ran aelodau ac o ran offerynnau, ac ar y cychwyn dwi'n cofio bois Adfer ar ein holau ni ac yn ein beirniadu am ddefnyddio gitâr fâs a phethau felly. Roedd o'n brifo ac roeddan ni'n cymryd sylw o'r hyn oeddan nhw'n ddeud — ond dal i gario 'mlaen wnaethon ni.

Ac wedyn, pan ddaeth y synth i mewn, dyma ni'n cael ein beirniadu unwaith eto. Roedd y ffaith ein bod ni wedi canu yn Ne America yn cythruddo rhai pobol ac rwy'n cofio Dafydd yn gorfod gwneud cyfweliad dros y ffôn o Ecwador i gyfiawnhau'r ffaith ein bod ni wedi mynd y tu allan i Gymru i ganu.

O ran y newid yn y miwsig, 'dan ni wedi manteisio ar y dechnoleg sydd ar gael a bydd pobol yn clywed bod y sŵn ychydig yn wahanol ar y record newydd yma.

Symud ymlaen. Torri tir newydd os leiciwch chi. Ond dwi ddim yn meddwl bod hynny'n amharu o gwbwl. Manteisio ar y dechnoleg newydd sy'n bodoli ydan ni.

Gallai roi perfformiad gwefreiddiol mewn unrhyw le

AR LOG: Canolfan Chapter, Caerdydd. Ebrill 9.

Ni fuwyd fawr o dro cyn sylweddoli bod y grŵp pedwar aelod hwn yn gwbl o ddifrif yn eu bwriad o roi bri ar gerddoriaeth traddodiadol Cymru. Rhoes

telyn deires ei frawd Dafydd, ynghyd â llais a hiwmor a ddeillia o'r hen Newtown, 'dinas' y Gwyddelod, yng Nghaerdydd Dave B... cyn-

...ddai ...au o ...wch ...ifyr-lau, ...fili' ...l' yn ...wyn-hief-

tains. Yr hyn a gyll Ar Log heb y bodhran a'r pibau penelin enillant drwy'r ffliwt a'r telynau.

Mesur o arbenigrwydd Ar Log oedd ei gyflwyniad o'r gân alaethus o adnabyddus, 'Ar Lan y Mô... Cafwyd cyf... ddeheur... wch a c... ol i gyf... chredid o... bell... di... u.

ragori ar ei leisio' diymdrech.

Clywyd gogoniant y deires yn y m... cynganeddw... gyfleu...

Gelynen', a 'Y Rhoesant brawf d... hai anodd fydd p... nu pa ddeunydd i... gynnwys ar recor... hir - ddisgwylie...

...edaf y medrai A... perffor... iddiol, nid y... hapter ar n... wn unrhyw... on o'r wyth...

Hefi...

Ce soir, à la M.J.C. le groupe gallois « Ar Log »

Pour la première fois, la M.J.C. de Douarnenez a mis au point une tournée en Bretagne pour un groupe étranger.

Il s'agit du groupe gallois « Ar Log », qui se produira ainsi à Brest, Lannion, Saint-Brieuc...

Et à Douarnenez, bien sûr, où il sera ce soir samedi 21 janvier, à 21 h., à la M.J.C.

La soirée est organisée en collabo-

solo de harpe très tranquille à une chanson très rythmée.

Ajoutons, qu'« Ar Log » a été la révélation du festival inter-celtique de Killarney, en mai 77, et du festival de Cornemuses, cet été à Lorient.

FOLK

"Fireworks" on Ar Log's reunion tour

by Sarah Gillam

...Sherman Theatre, Ar Log.

...their music with such subtlety and ...almost be described as classic

...range of instruments these fiery ...nd in Wales today. ...rpists, two violinists and a guitarist. In ...flutes and Stephen Rees, accordion. ...y tour of Wales the band, which also ...Geraint Glynne Davies and Lolo Jones, ...mbers of Ar Log — Graham Pritchard and ...father of the Welsh protest song, Dafydd

...explosive force, playing with precision-like

...ental combinations on stage the atmosphere ...suddenly join in with fiddles and guitars, then ...a flute or tin whistle. ...re were three violinists racing each other to the ...ne of them appeared quite sure who was going

...the band in the second part of the performance ...ension to the evening. ...n lies in his voice and engaging personality. He ...ughing at his stories and singing along with his

...tion about the evening was that it was entirely in ...on-Welsh speaker I missed out on all the jokes.

...les Argus 14th-4-86

AR LOG 11 (SAIN 1187D)

Graen a sglein

Mae ... ddweu... dechr... fo Cy... Fe'i ... newy... wyd...

...geilio'r Gwenith Gwyn, Y ...deryn, Llong-

...ith wrth ...

Grŵp i'w ryfeddu a noson i'w chofio

Mae yna berygl i ni'r Cymry anghofio'r gerddoriaeth drwy fy... i hwyl efo... on m...

Adr...

...erwyt Dafy... ...ethu'n felod. ...dd rhwng canu

...r gân. ...yn perthyn
Grŵp i'w ryfeddu, a noson i'w chofio.

● Ar Log . . . left to right, Dafydd Roberts, Graham Pritchard, Geraint Glynne Davies and Gwyndaf Roberts.

Euro d... up for...

THE HIGHLY succe... Log folk group are to... more concerts i... before embarking... and-a-half-mont... Brittany, Ger... Holland.

Brothe...

Ar Log — s... impromptu... "On Hire"... four North... to promot... music... Welsh in... the Wel... three... Th... distin... No 1...

Graham

Beth yw dy gefndir cerddorol di?
Mi ge's i fy enrolio i chwara'r ffidil, neu'r feiolin i roi iddi ei henw crandiach, pan oeddwn i tua deg oed yn yr ysgol British yn Llangefni. Fe ddaeth rhywun o gwmpas i weld pwy oedd â diddordeb mewn cael gwersi.

Doedd gen i ddim diddordeb o gwbl ar y pryd ond wnaeth hynny fawr o wahaniaeth. Cael fy ricriwtio wnes i, a hynny'n reit sydyn.

Ymhen wythnos ro'n i'n dysgu pizzicato, a hynny ar ffidil newydd. Dwi'n cofio mai *Made in China* oedd hi, ffidil dri chwarter a dwi'n cofio faint gostiodd hi hyd heddiw — chwe phunt, wyth swllt a chwe cheiniog mewn hen bres.

Pizzicato fu hi am gyfnod wedyn, rhyw blycio'r tannau fel banjo. Dyna oedd pawb yn ei wneud nes dod yn gyfarwydd â'r byseddu. Yna, ymhen amser, mentro i godi'r ffidil a defnyddio'r bwa a dyna pryd y cychwynnodd yr hwyl go iawn. Dwi'n cofio mai'r alaw gyntaf i mi 'i chwara oedd *'Twinkle, Twinkle Little Star'*. Hwyrach 'mod i wedi datblygu rhyw ychydig ers hynny, ond oni bai am y diwrnod ricriwtio 'na yn yr ysgol faswn i ddim wedi bod yn aelod o Ar Log.

Rwyt ti'n swnio fel ffidlwr anfoddog, ac yn chwarae yn groes i'r graen.
Nid y chwara oedd y bwgan ond gorfod cario'r ffidil yn ei chês i'r ysgol. Doeddwn i ddim am i'r plant eraill fy ngweld i. Ar ddiwrnod cerddoriaeth mi fyddwn i, yn hytrach na cherdded drwy'r dre yng ngŵydd y disgyblion eraill, yn osgoi'r dre drwy gerdded drwy'r coed a'r caeau, siwrnai oedd filltir neu ddwy yn hirach.

Oedd cerddoriaeth yn bwysig i dy deulu?
I raddau, oedd. Pan oeddwn i'n ifanc roeddan ni fel teulu yn canu carolau adeg y Nadolig; Dad ar y piano, 'mrawd a minna ar y ffidil, a'r cymdogion, wrth gwrs, ar y sieri. Hynny yw, y rhai oedd heb gerdded allan. Ond fe dde's i'n gyfarwydd â pherfformio'n gyhoeddus hefyd. Roeddwn i'n aelod o Gerddorfa Ieuenctid Gogledd Cymru ac fe wnes i barhau i fod yn aelod achlysurol tan fy nyddiau yn y coleg. Fe ge's i fy newis fel aelod o Gerddorfa Genedlaethol Ieuenctid Cymru hefyd, felly mae'n rhaid 'mod i'n gwneud rhywbeth yn iawn. Dwi'n cofio bod ar lwyfan o dan arweiniad Owain Arwel Hughes. Ychydig feddyliais i bryd hynny y baswn i mewn ychydig flynyddoedd yn byscio ar y stryd yn Padstow yng Nghernyw.

Pryd wnest ti gael dy ddenu i'r byd canu gwerin?
Yn y coleg yn Aberystwyth. Roedd angen grŵp gwerin i gynrychioli Aber yn yr Eisteddfod Ryng-Golegol yng Nghaerdydd. 'Dic Aberdaron' oedd y gân ac fe wnes i gymaint o smonach o'r rhagarweiniad fel na wnes i licio'r gân byth wedyn.

Dwi'n meddwl mai dyna pryd wnaethon ni chwara gyntaf o dan yr enw Mynediad am Ddim, a hwnnw oedd y perfformiad cyhoeddus cyntaf ar wahân i noson ym mar cefn y *Blingwyr* i griw o feddwon.

Fe wnes i chwara wedyn hefo grŵp arall o'r coleg, Tydfwlch Hir. Ond yna dyma Emyr, Robin, Mei, Iwan, Ems a finna yn penderfynu, yn dilyn llwyddiant y steddfod, ffurfio grŵp mwy parhaol. A Mynediad am Ddim oedd y canlyniad.

Ydi e'n wir i chi ystyried troi'n broffesiynol?
Ydi, 'nôl tua '76 cyn bod sôn fod Ar Log am droi'n broffesiynol. Rhyw fân siarad fu'r peth ar y cychwyn ond fe ddechreuodd pethau droi'n gymharol ddifrifol wedyn.

Heddiw, pe na bai gennym ni ddyletswyddau teuluol, mae'n bosib y basan ni wedi mynd yr holl ffordd ac wedi llwyddo, hwyrach. Mae 'na fwy o rwydwaith heddiw ac mae gennym ninna fwy o brofiad.

Sut wnest ti ymuno â'r grŵp?
Fe ddigwyddodd pethau'n reit sydyn er i mi roi cryn ystyriaeth i'r peth. Rhyw gwta fis, dyna i gyd.

Ro'n i'n athro mathemateg yn Ysgol Penweddig, Aberystwyth ac mi oedd 'na

hysbyseb yn *Y Cymro* tua dechrau mis Rhagfyr '79 yn gofyn am ffidlwr i ymuno ag Ar Log yn llawn amser. Mi wnes i feddwl am y peth am ychydig ddyddiau cyn penderfynu ymateb i'r hysbyseb.

Dwi'n cofio ffônio Gwyndaf o'r ciosg yr ochr draw i dafarn yr *Angel* ym mhen uchaf Aberystwyth a gofyn am ragor o fanylion. Wedyn mi fûm i'n pendroni am ychydig ddyddiau cyn gwneud y penderfyniad i ymuno â'r hogia yn llawn amser.

Teimlo o'n i, os o'n i am wneud penderfyniad o'r fath, yna dyna'r amser i'w wneud o am nad oedd gen i gyfrifoldebau. Dim teulu i'w gynnal, dim gwraig, dim plant, dim morgej, dim cath, dim cwningen, dim pysgodyn aur, dim o gwbl ond fi fy hun. A dyma fi'n penderfynu rhoi cynnig arni. A dyna wnes i. Ro'n i lawr yng Nghaerdydd ddechrau mis Ionawr '80 yn cychwyn ymarfer.

Wedi gadael swydd saff ac ymuno â grŵp proffesiynol, aeth pethe'n iawn?

Ro'n i wedi ystyried fy mhenderfyniad i adael swydd saff yn ddifrifol iawn. Ro'n i'n derbyn cyflog sefydlog ond mi wnes i drafod y peth hefo aelodau'r grŵp ymlaen llaw a threfnu pethau'n fanwl. Roedd hi'n ymddangos y baswn i yn ystod y flwyddyn, yn ôl be oeddwn i'n amcangyfrif, yn medru gwneud bywoliaeth weddol debyg i'r hyn oeddwn i'n ei gwneud fel athro.

Mi oedd 'na elfen o risg, yn sicr, ond gan nad oedd neb yn ddibynnol arna' i ro'n i'n barod i gymryd y risg honno.

Newid swydd a newid ffordd o fyw hefyd?

Roedd y teithio ynddo'i hun yn brofiad — oedd, roedd o'n fywyd gwahanol iawn. Y teithio, ia. Yn bersonol ro'n i'n mwynhau'r teithio ar y cychwyn. Roedd hi'n elfen hanfodol, wrth gwrs; crwydro o gwmpas i bob man yn canu. Roeddwn i'n mwynhau edrych drwy'r amserlen i weld lle roeddan ni'n mynd a gweld, hwyrach, ein bod ni'n mynd i Hastings fory a deud wrthaf fy hun, 'Dydw i rioed wedi bod yn Hastings'. Roedd o'n rhywbeth ro'n i'n edrych ymlaen ato, mynd i dre nad oeddwn i erioed wedi bod ynddi o'r blaen. Mynd fyny i ogledd yr Alban wedyn, eto i fannau lle nad oeddwn i erioed wedi bod a lleoedd na faswn i'n debyg o fynd iddyn nhw eto chwaith.

Roedd y teithio yn elfen o'n i'n ei mwynhau yn fawr. Teithio gydol y dydd i gyrraedd y lle a'r lle. Ond nawr, wrth edrych yn ôl, roedd teithio drwy'r nos yn gallu bod yn fwrn. Roeddan ni'n tueddu'n aml iawn, ar ddiwedd noson, i deithio'n ôl i Gaerdydd yn syth yn ystod yr oriau mân, a phawb wedi llwyr ymlâdd.

Beth wyt ti'n gofio am dy noson gyntaf?

Dwi'n cofio'r noson gyntaf yn reit dda, ym mis Ionawr neu Chwefror. Mi fyddwn i'n cadw dyddiadur yn achlysurol. Roedd o'n rhywbath i'w neud yn ystod y teithiau hir yn y fan. Doeddwn i ddim yn cadw dyddiadur manwl, ddim ond nawr ac yn y man i gofnodi'r digwyddiadau arbennig.

Roeddan ni'n teithio i fyny i Gaernarfon, a dwi'n darllen o'r dyddiadur rŵan: 'Chwefror yr wythfed 1980. Raymond, un o'n ffrindia, yn ein dreifio ni fyny.' Fo oedd y *roadie* yn yr hen fan, gyda llaw. 'Nôl i'r dyddiadur: 'Pawb yn sâl wedi cael byg. Ac mi fuon ni'n sâl dros bob man. Cyrraedd Tan-y-bont yng Nghaernarfon am chwech o'r gloch. Noson wefreiddiol.' Nid hynny oeddwn i'n ei olygu o gwbl. Doedd hi ddim. Doedd hi ddim yn noson dda o gwbl a'r fan wedi cael côt o *spray* melyn y tu mewn.

Ond a bod yn deg â ni ein hunain, roedd y noson gyntaf honno yn dilyn sesiynau hir o ymarfer am ddyddiau yng Nghaerdydd. Felly doedd neb yn teimlo'n rhy dda.

Roedd 'na amrywiaeth o nosweithiau, wrth gwrs. Y rhan fwya ohonyn nhw, diolch byth, yn nosweithiau gwefreiddiol. Wedyn roedd 'na nosweithiau cymhedrol ac ambell un ddim cystal, fel yn Nhan-y-bont.

Os fflicia' i drwy 'nyddiadur fe ddo' i ar draws un arall, yn yr Almaen. Ia, dyma ni, chwech wythnos yn yr Almaen. Yr ugeinfed o Fehefin 1980, cyngerdd yn Wiesbaden wedi'i drefnu yn lle yr un a ohiriwyd yn Hanover. Shambls llwyr. Tua chwech o bobol wedi dod yno i wrando. Roedd 'na gymaint o bobol yn y grŵp ag oedd 'na yn y gynulleidfa. Ond fe wnaethon ni'n dyletswydd a chwara o flaen yr hanner dwsin.

Mae'r dyddiadur yn deud: 'Dei Bach y Cowboi yn y sŵp'. Dei Bach oedd rhyw foi o'r enw Dave Walsh. Fo oedd ein asiant ni yn yr Almaen ac ar ôl y cyngerdd roedd yn rhaid cael gair neu ddau hefo Dave i drafod pethau, ond fe aethon ni i ryw winllan lle'r oedd gwin cryf iawn yn cael ei wneud — nid o'r ffrwyth ond o'r pren, ac wedyn fe wnaethon ni ymweld â bar gwin nid nepell o'r lle'r oeddan ni'n aros hefo ffrindiau. Dyna un peth da o fynd i'r Almaen. Roeddan ni'n gwneud ffrindiau a dwi'n dal yn ffrindiau mawr ag amryw ohonyn nhw.

Beth bynnag, roedd hi'n bwysig i ni drafod pethau hefo Dave. Doedd o ddim wedi gwneud rhyw job dda iawn o'r daith. Ddim wedi hysbysebu'r cyngherddau ac ati. Ond y peth ydi, mae rhai achlysuron fel'na yn ymddangos yn waeth ar y pryd nag ydyn nhw mewn gwirionedd. Mae rhywun wedi blino wrth deithio ac mae 'na lot o densiwn. Ond o edrych yn ôl mae rhywun yn medru chwerthin.

Mis Mai wedyn, dwi'n cofio rhyw achlysur arbennig pan oeddan ni'n Awstria. Cychwyn am Salzburg. Taith o 340 milltir — mae'r cyfan yn y dyddiadur — a theithio'r un diwrnod er mwyn cyrraedd erbyn amser te. Dyma fi'n dyfynnu eto: 'Y fan yn poethi. Gorfod stopio'n aml. Y ffyrdd yn serth iawn allan o Freiberg ond rhywsut cyrraedd Salzburg erbyn chwartar wedi saith. Dim cyfla i wneud dim. Dim *sound check* na dim byd. Dim ond canu'n syth mewn neuadd orlawn oedd â rhyw steil baroc yn perthyn iddi. Dim angan PA. Awyrgylch arbennig. Cymeradwyaeth fawr. Gwerthu pob record.'

Fe gawson ni bryd o fwyd wedyn efo'r

trefnydd ar un o'r achlysuron bisâr hynny. Roedd 'na dywysoges yn eistedd yn y sêt flaen, rhyw Dywysoges Helga a hi wnaeth ein gwahodd ni am bryd o fwyd. Roedd hi'n byw mewn pentre lleol jyst y tu allan i Salzburg ac yn mynnu ein bod ni'n mynd i ganu yn yr ysgol leol y diwrnod wedyn. Roedd hi'n noddi'r ysgol ac roedd y bore wedyn yn digwydd bod yn fore rhydd i ni.

Ar ôl canu i blant yr ysgol a'r Dywysoges — golygfa allai fod wedi dod o *The Sound of Music* — fe wahoddodd ni 'nôl i'w phlasty am bryd o fwyd. Dwi ddim yn siŵr oedd hi'n llawn llathen ond roedd hi'n honni ei bod hi'n perthyn i Nicholas y Cyntaf, un o Tzars Rwsia. Fe gawson ni fwyta oddi ar blatiau arian yn y plasty. Profiad bisâr iawn.

Oedd gan rai ohonoch chi hiraeth weithiau yn ystod teithiau hir?

Oedd, yn arbennig Geraint. Roedd Geraint yn cael pyliau o hiraeth weithiau. Yn Wiesbaden, eto, mi deimlodd o'n hiraethus iawn ac fe ddiflannodd. Fe aethon ni i chwilio amdano fo ymhob bar lawr y lôn, ond doedd dim sôn amdano. Yna dyma droi i mewn i far digon amheus. Dyna lle'r oedd Geraint wedi'i ddal gan fownsars ac yn gorfod prynu cymysgedd o shampên ac oren am grocbris i rhyw ferched drwg. Roedd Geraint wedi mynd i mewn yn hollol ddiniwed i edrych am gwmni, ond roedd o'n falch o'n gweld ni.

Sut deimlad oedd rhannu llwyfan â sêr y byd gwerin?

Dwi'n teimlo bod bai arnon ni'r Cymry, yn gyffredinol, am nad oes gennym ni ddigon o hyder; ein bod ni'n teimlo dipyn bach o rhyw barchedig ofn pan fyddwn ni'n cyfarfod â'r enwau mawr. Ond roedd yr ymateb oeddan ni'n gael gan y gynulleidfa wrth berfformio ochr yn ochr â nhw yn dda iawn.

Mi wnaethon ni ddysgu lot oddi wrthyn nhw yn sicr, yn enwedig o'r profiad o gymysgu â nhw a sgwrsio'n anffurfiol â nhw ar ddiwedd y noson wrth fynd am beint a sesiwn anffurfiol. Roedd honno'n elfen fach ddifyr iawn ar ddiwedd perfformiad ffurfiol.

Ffidlwyr yr Alban yw fy hoff ffidlwyr i, ac Aly Bain o Ynysoedd y Shetland yn enwedig. Yn wahanol i mi, doedd dim angen iddo fo gywilyddio wrth gario'r ffidil i'r ysgol. Doedd dim rhaid iddo gan fod dysgu'r ffidil yn rhan o draddodiad gwerin y wlad ac yn rhywbeth oedd yn digwydd yn naturiol ar aelwydydd.

Hyfforddiant clasurol, fel pob ffidlwr Cymreig mae'n debyg, ge's i a hynny gan athrawes dda iawn o Bwllheli, Glenys Lloyd Williams. Addasu'r dull clasurol wnes i wedyn ar gyfer steil Mynediad am Ddim ac Ar Log ac mae 'na steil clasurol yn bodoli, i wahanol raddau, ymhlith y ffidlwyr gwerin yng Nghymru. Nid beirniadu ydw i. Fel'na mae pethau'n bodoli ac rwy'n teimlo nad oes gennym ni'r un rhyddid na'r un mynegiant yn y maes gwerin oherwydd y cyfyngiad hwn.

Yn y cyfamser roeddet ti'n dal i chwarae gyda Mynediad am Ddim. Beth oedd y gwahaniaeth mwyaf rhwng chwarae i'r ddau grŵp?

Oeddwn, roeddwn i'n dal yn aelod o Mynediad am Ddim, ond y gwahanaieth mwya rhwng y ddau grŵp, mae'n debyg, oedd fod Ar Log yn cario'r label 'proffesiynol' ac roeddwn i'n ymwybodol o hynny. Ar Log oedd fy mywoliaeth ac roedd yn rhaid mabwysiadu agwedd fwy cyfrifol.

Paid â 'nghamgymryd i. Roedd digon o hwyl i'w gael hefo'r ddau grŵp, ond roedd hi'n orfodaeth, o fod yn broffesiynol, i fod yn fwy difrifol yn gerddorol gydag ar Log.

Sut berthynas oedd 'na rhwng y ddau grŵp?

Perthynas dda iawn. Byddai Mynediad yn cael benthyca offer sain Ar Log ar brydiau ac fe fyddai Gwyndaf neu Dafydd yn paratoi'r cyfan ar ein cyfer. Bron iawn nad oeddan nhw'n *roadies* i ni!

Wrth gwrs, y *roadie* rhyfeddaf gawson ni oedd Dewi Pws, ond chwara teg, roedd o'n cymryd ei ddyletswyddau o ddifri. Byddai Dewi yn gyfuniad o *roadie*, boi sain, barman a chanwr. (Byddai'n ymuno â ni ar gyfer y spot olaf.)

Yn wahanol i Ar Log, roedd ambell gyfle i glownio gyda Mynediad am Ddim.

Oedd, roedd 'na gân actol yn rhan o'r rhaglen ac fe fyddan ni'n perfformio 'I ble rwyt ti'n myned, fy ngeneth ffeind i?' Yn ystod y gytgan, tra'n cyfeirio at y ddwy foch goch a'r ddau lygad du, roeddwn i'n gorfod sefyll ar ben stôl a datgelu dwy foch goch fy mhen-ôl. Ond rhaid prysuro i egluro fan hyn mai pâr o shorts gwynion gyda dau batshyn coch wedi'i gwnïo gan fam Emyr Wyn ar ben-ôl y shorts oedd y bochau coch!

Ond digwyddodd rhywbeth anffodus iawn yn Nulyn. Fe wnes i anghofio gwisgo'r shorts pwrpasol, ac yn ystod canu'r pennill cyntaf fe sylweddolais hynny. Doedd gweld rhes o leianod yn ein gwylio ddim yn helpu pethau ac roedd hi'n ymddangos eu bod nhw'n mwynhau'r noson yn fawr nes iddi ddod yn amser datgelu'r ddwy foch goch . . . Neidiais ar gadair, tynnu 'nhrowsus a dangos pâr o drôns melyn, budr. Unig ymateb y lleianod oedd mwmian corws o *Hail Mary*.

Beth am y profiad o gydweithio gyda Dafydd Iwan?

Dwi'n meddwl bod y cyfuniad wedi gweithio'n dda iawn ar y pryd. Roeddan ni'n medru rhoi cyfeiliant gwahanol iddo fo. Roedd o'n asiad newydd ac fe wnaeth y cyfan weithio mewn ffordd gyffrous iawn.

Ond yr hyn wnes i fwynhau fwya ar 'Daith 700' hefo Dafydd oedd diwedd y perfformiadau, pan o'n i'n cael cyfle i roi cweir go dda iddo fo ar y bwrdd pŵl.

Beth wnaeth iti adael?

Fe wnes i ddeud ar y dechrau na faswn i'n aros mwy na blwyddyn ac er 'mod i'n mwynhau'r teithio ar y cychwyn, dechreuodd pethau fynd yn rhy anodd. Ar ben hynny ce's i gynnig mwy o waith sefydlog yng Nghaerdydd ac fe wnes i dderbyn.

Rheswm arall oedd 'mod i wedi cael gafael ar ferch fach gwerth chweil, fel mae'r gân yn ddeud, ac mi wnes i setlo lawr gan fwriadu priodi. Wel, mi wnes i briodi a dwi'n dal yn briod, dwi'n falch o ddeud. Wedyn mi aeth hi'n anos cynnal bywoliaeth lawn amser hefo'r grŵp, ond mi fûm i am gyfnod yn dal i ganu efo'r grŵp yn achlysurol am tua dwy flynedd wedyn.

Beth am y paratoadau ar gyfer y daith 'Ar ôl Ugain' a'r record newydd?

Dim ond y ffidlwr ydw i. Dwi'n cyrraedd lle bynnag mae angen bod a dwi'n gwneud be maen nhw'n ddeud wrtha' i a dwi'n falch iawn o gael gwneud hynny.

Na, o ddifri rŵan, fe wnaethon ni gyfarfod am y tro cyntaf beth amser yn ôl — dod at ein gilydd i drafod a dechrau ymarfer y caneuon ar gyfer y daith. Mae'r rhan fwya yn ganeuon dwi wedi eu gwneud o'r blaen, bedair blynedd ar ddeg neu bymtheng mlynedd yn ôl — ac ro'n i'n poeni fyddwn i'n eu cofio nhw ar ôl yr holl amser. Ond mae'n syndod fel maen nhw wedi ymdreiddio i mewn i mi rywsut. Maen nhw'n dal yno yn yr isymwybod a phan ddaethon ni at ein gilydd i ymarfer am y tro cyntaf ar gyfer y record newydd fe ddaethon nhw allan o rywle. Roedd hynny'n syndod.

Ac mae'n syndod hefyd sut mae'r saith ohonon ni wedi ffitio. Mae 'na le i bawb o hyd.

Dwi'n cofio adeg Steddfod Aber yn '92, aelodau a chyn-aelodau Mynediad am Ddim yn dod 'nôl at ei gilydd i ddathlu ein deunaw oed fel grŵp. Rhyw deimlad tebyg ydi dathlu'r ugain hefo Ar Log eleni. Pawb 'nôl hefo'i gilydd, pawb yn cyd-dynnu, pawb yn mwynhau.

Stephen

Fel un sy'n chwarae naw neu ddeg o offerynnau, gyda pa un wnest ti gychwyn?
Dechreuais ganu'r piano pan o'n i tua chwech oed. Wedyn mynd ymlaen at y ffidil a rhywle yn y canol fe ge's i wersi gitâr o ryw fath cyn mynd ymlaen at y clarinet. Dyna'r pedwar offeryn ge's i wersi ffurfiol arnyn nhw. Gydag Ar Log rwy'n canu'r acordion, yr allweddellau, y ffidil a'r pibau.

Fe hoffwn i fod yn ffidlwr gwell ond yr offeryn sy'n rhoi mwya o fwynhad i mi ar y cyfan yw'r acordion. Hwnnw oedd un o'r offerynnau cyntaf i mi ei chware. Clywais yr offeryn am y tro cyntaf yn cael ei chware yng nghartref fy athrawes biano, Barbara Smith, pan o'n i tua deg oed mae'n debyg. Ei mab hi, Rick, oedd yn ei chware ac mae e erbyn hyn yn aelod o'r band Underworld, sydd wedi bod yn uchel yn y siartiau Saesneg. Beth bynnag, fe wnes i ffansïo'r offeryn ar unwaith ac am fy mod i mor hoff ohono fe wnaeth Mam-gu brynu un bach i fi, ac ro'n i wedi gwirioni arno fe. Y diwrnod cyntaf ge's i fe rwy'n cofio ei gario gyda fi i bobman, hyd yn oed bwyta 'mwyd drosto fe. Doeddwn i ddim yn fodlon ei dynnu fe bant.

Doedd 'na ddim llawer yn chware'r acordion yn yr ardal bryd hynny a phan es i i'r ysgol uwchradd yn Rhydaman fe ofynnwyd i fi chware'r acordion fel cyfeiliant i'r grŵp dawnsio gwerin. Ma' dawnsio gwerin wedi ffynnu yn Rhydaman ar hyd y blynyddoedd, tri deg mlynedd a mwy, yn enwedig ar gyfer Eisteddfode'r Urdd a'r Genedlaethol.

Roedd yr acordion yn boblogaidd iawn yn y '40au, yn enwedig ymhlith gweision ffermydd. Ond fe gollodd ei boblogrwydd.
Do, ond mae e'n fwy poblogaidd o dipyn nawr. Mae e'n offeryn gwych ac yn hyblyg iawn. Mae e wedi bod yn boblogaidd erioed yn Iwerddon wrth gwrs, ac mae pobol fel Sharon Shannon nawr yn ei boblogeiddio rownd y byd. Fel mae'n digwydd, chwaraewr acordion, Phil Cunningham, yw un o'm hoff gerddorion i. Roedd e a'i frawd, Johnny, yn arfer chware 'da Silly Wizard a bu'n teithio llawer gydag Aly Bain. Fe wnes i gwrdd ag e rhyw bedair blynedd ar ddeg yn ôl. Ef oedd fy arwr cyntaf i ac oddi wrtho ef y gwnes i ddysgu ambell dric.

Beth am dy feistri ffidil di?
Does dim llawer yng Nghymru. Mae Iolo wrth gwrs, ond dwi wedi dysgu o fannau gwahanol. Ond petawn i'n gorfod dewis un lle, yr Alban fyddai hwnnw. Bûm yno ar gwrs ffidil am wythnos yn yr '80au a bu hynny'n addysg dda iawn i mi.

Yng Nghymru ti'n cael pobol sy' wedi cael eu dylanwadu gan ffidlwyr o'r Iwerddon. Ond y traddodiad Albanaidd, sy'n wahanol, sy' wedi dylanwadu fwya arna' i. Rwy'n hoffi'r traddodiad Albanaidd yn fawr iawn. Nid ei fod e'n well na'r traddodiad Gwyddelig, ond mae e'n wahanol. Mae 'na nifer o bethau amdano fe — delweddau, ac agweddau tuag at y chware sydd eto'n wahanol i'r Iwerddon. Mae e'n rhoi rhyw amrywiaeth i ti. Wedi'r cyfan dyw popeth ddim yn gorfod swnio fel y traddodiad Gwyddelig.

Clywais rywun ar y teledu yn honni mai'r rheswm nad 'yn ni'n genedl o offerynwyr yw'r ffaith fod y Cymry, yn y ganrif ddiwethaf, yn rhy dlawd i brynu offerynnau. Wyt ti'n credu hynny?
Ddim o gwbl. Doedd neb yn dlotach na'r Gwyddelod, ac edrycha arnyn nhw. Ac mae'r un peth yn wir am y bobol dduon yn America. Roedd rheiny yn llunio'u hofferynnau eu hunain. Agwedd biwritanaidd y capeli wnaeth ladd y traddodiad offerynnol yng Nghymru, hynny a'r ffaith ein bod ni wedi penderfynu, rywsut, mai cenedl o gorau meibion ydyn ni.

Ond mae'r llanw'n troi unwaith eto a diddordeb cynyddol mewn cerddoriaeth werin yng Nghymru. Yn ddiweddar daeth pump neu chwech ohonon ni at ein gilydd i geisio codi proffeil cerddoriaeth a cherddorion offerynnol yng Nghymru drwy sefydlu COTC — Cymdeithas Offerynnau Traddodiadol Cymru — a gafodd ei lansio yn yr Eisteddfod Genedlaethol yn Ninefwr. O ran y ffidil, fi a Huw Roberts o Pedwar yn y Bar a Cilmeri sy'n gyfrifol. Y teimlad oedd fod

Ar Log 1984

angen diogelu traddodiadau cerddorol y delyn, y ffidil, y pibgorn a'r crwth ynghyd â'r holl alawon sydd ynghlwm wrthyn nhw. Fel rhan o'r ymgyrch byddwn yn trefnu gweithdai a sesiynau gwerin er mwyn ychwanegu at fwrlwm yr adfywiad traddodiadol sydd ar droed yng Nghymru. Gobeithio y bydd e'n codi ein hymwybyddiaeth ni yn y maes hwn.

Sut wnest ti ymuno ag Ar Log?

Cwrddais i â nhw gyntaf yn 1982. Fe es i lan i HTV i neud un o raglenni *Sêr*. Ro'n i wedi cymryd blwyddyn bant cyn mynd i'r brifysgol, hynny yw, rhwng ysgol a choleg, a Graham Pritchard oedd yn cyflwyno'r rhaglen. Roedd e ar fin gadael Ar Log, er na wyddwn i hynny ar y pryd.

Dyma Graham yn gofyn i fi ddod â'r acordion gyda fi er mwyn i ni gael rhyw fath o ddeuawd, ac felly y bu hi. Ond dyma fe'n dweud wedyn ei fod e'n gadael Ar Log ac y bydden nhw mewn yn y stiwdio yn hwyrach yn y prynhawn i wneud *insert* ar gyfer rhaglen arall. Felly fe wnes i hongian o gwmpas nes eu bod nhw'n cyrraedd ac yna gofyn iddyn nhw, 'Alla' i ymuno â'ch grŵp chi, plis?' neu rywbeth tebyg. Wedyn fe wnes i gwpwl o gyngherddau gyda nhw ym mis Mawrth a mis Ebrill a dyma nhw'n dweud, 'Iawn, ti'n un ohonon ni.'

Sut deimlad oedd e i fachgen ifanc deunaw oed ymuno â hen stejars?

Ro'n i'n ymwybodol iawn o Ar Log ers '79 gan mai nhw oedd yr unig grŵp y gwyddwn i amdanyn nhw oedd yn chware cerddoriaeth offerynnol Gymreig. Ac roedd e'n anhygoel cael cynnig ymuno â grŵp fel nhw.

Y peth mwya atyniadol, falle, ar wahân i'r profiad cerddorol oedd y ffaith eu bod nhw wedi trefnu'r holl deithiau 'ma rhwng mis Ebrill a mis Hydref. Roedd hynny'n beth arbennig iawn i rywun ifanc fel fi.

Faint o brofiad chwarae cerddoriaeth werin oeddet ti wedi'i gael cyn hynny?

Ar yr ochr werinol, fy ymwybyddiaeth gyntaf i o'dd cyfeilio i grŵp dawnsio gwerin, felly ro'n i'n dysgu'r gwahanol alawon wrth fynd ymlaen. Ar yr un pryd ro'n i'n dal i astudio ac ymarfer yn glasurol ar y piano, y ffidil a'r clarinet a chyn i mi ymuno ag Ar Log ro'n i wedi cael fy nerbyn i astudio cerddoriaeth yng Nghaergrawnt. Felly roedd y ddau fath o gerddoriaeth yn digwydd ar yr un pryd.

Cerddoriaeth glasurol yw fy mhrif ffynhonnell i wrth gwrs, a dyna fy maes i fel darlithydd yn y Brifysgol ym Mangor. Ond faswn i fyth wedi colli'r agwedd werinol, hyd yn oed pe na bawn i wedi ymuno ag Ar Log. Tra'n cyfeilio i grwpiau dawnsio gwerin ro'n i'n ysu am gael bod yn rhan o grŵp oedd yn gwneud, yn Gymreig, yr hyn oedd y Chieftains yn ei wneud â cherddoriaeth Iwerddon.

Beth wyt ti'n gofio am dy daith gyntaf?

Os dwi'n cofio'n iawn, fe aethom i'r Swisdir fis Ebrill ac i'r Almaen ym mis Mai '82. Yr hyn sy'n aros yn y cof fwya yw amrywiaeth y lleoedd fuon ni'n aros ynddyn nhw. Buom yn rhannu tai y gwahanol ddilynwyr canu gwerin ac aros mewn ambell westy. Un peth wy'n gofio'n dda yw byscio yn Zurich. Doeddwn i rioed wedi byscio o'r blaen ac rwy'n cofio'r pedwar ohonon ni yn byscio mewn stryd fach yn y ddinas ac ennill tua deugain punt mewn awr a meddwl bod hynny'n wych o beth. Roedd e'n help, wrth gwrs, nad oedd y bobol erioed wedi gweld telyn yn cael ei defnyddio ar gyfer byscio o'r blaen, yn enwedig telyn fach a honno'n delyn deires fel un Gwyndaf.

Cyfnod cymharol fyr fu dy dymor di fel chwaraewr proffesiynol.

Ie, yn y bôn fûm i ddim yn gwbl broffesiynol, dim ond o fis Ebrill hyd fis Hydref pan oeddwn i'n mynd i'r coleg. Roedd e'n rhy bell i mi fynd o'r coleg byth a hefyd ar gyfer cyngherddau a theithiau. Roedd Gwyndaf a Dafydd wedi bod yn gwneud rhywbeth tebyg ers saith mlynedd a Geraint ers tua tair blynedd ac roedd bod ar yr hewl drwy'r amser yn dechrau dweud arnyn nhw. Erbyn hyn roedd ganddyn nhw deuluoedd ac roedd hi'n amhosib iddyn nhw barhau yn llawn amser o dan y fath amgylchiadau. Ac roedd pethau eraill yn galw arnon ni hefyd. Gan mai yn Lloegr oeddwn i yn y coleg roedd hi'n anodd i mi deithio i chware mewn cyngherddau yng Nghymru hyd yn oed.

A wnaeth newid aelodaeth y grŵp ac amrywio'r offerynnau helpu yn hytrach na niweidio Ar Log?

O'r dechrau, y telynau oedd canolbwynt y grŵp, a'r man pwysicaf oll yn fy marn i. Yna, wedi i Graham adael yn '82 fe dde's i i mewn fel ffidlwr yn bennaf, i gymryd ei le. Ar y llaw arall ro'n i'n fwy hyblyg ar yr acordion ac fe wnes i ychwanegu'r offeryn hwnnw at gwpwl o ganeuon.

Yn nes ymlaen dechreuais chware'r allweddellau ac yn nes ymlaen eto, y pibau. Felly mae pawb, yn eu tro, wedi cyflwyno rhyw agweddau gwahanol ac wedi addasu'r alawon yn ôl y galw. Ac mae'r amrywiaeth wedi cryfhau'r grŵp greda' i.

Erbyn hyn rwyt ti wedi bod yn un o ddau ffidlwr, ac yn un o dri ffidlwr yn y grŵp.

Ydw, ac mae hynny wedi bod yn ddiddorol. Fe ge's i gyfle am ychydig i chware gyda Graham cyn iddo adael. Yna, pan ddaeth Iolo yn ôl yn '84 bu'r ddau ohonon ni'n chware'r ffidil, a bu hynny'n gyfnod gwerthfawr o gyd-chware a chyd-ddysgu.

Yna, yn ystod y misoedd diwetha 'ma, fe ddaeth Graham 'nôl ar gyfer y dathliad 'Ar ôl Ugain' ac mae hynny wedi bod yn wych. Mae pob un fel petai yn slotio i mewn i fannau gwahanol yn y gwead. Mae pob un ohonon ni â'i steil gwahanol, does dim dwywaith am hynny. Ond dyna'r rhinwedd. Mae ein gwahaniaethau ni o fewn y cyfanwaith yn cynnig mwy fyth o amrywiaeth ac rwy' wedi mwynhau'r profiad yn fawr.

Sut brofiad oedd e i weithio gyda Dafydd Iwan?

Roedd y bechgyn wedi gwneud cwpwl o gyngherddau gyda Dafydd yn ystod y flwyddyn cyn i mi ymuno â nhw ac yn ystod y cyfnod wnes i ymuno â nhw roedden nhw ar fin recordio *Rhwng Hwyl a Thaith*, sef eu record gyntaf gyda Dafydd Iwan.

Yn hwyrach yn '82 roedd 'na gyfres o gyngherddau gyda Dafydd fel rhan o'r 'Daith

Periw, 1987

Colombia

1982

700' ac ar wahân i'r deunydd gwerin fe wnaethon ni bethau oedd yn fwy cyfoes eu natur oedd yn apelio mwy, falle, at y gynulleidfa Gymraeg a oedd yn gyfarwydd iawn â deunydd Dafydd. Ac roedd hynny'n wych, yn gyfuniad da.

Hefyd, ro'n i'n hoffi'r cyfuniad oedd yn defnyddio nifer o offerynnau — o'r delyn i'r bâs trydan. Felly roedd 'na dipyn o amrywiaeth yn y sain.

Beth am y feirniadaeth gawsoch chi wedi i chi droi at offerynnau mwy modern a thrydanol?

Yr unig gŵyn dwi'n gofio'i derbyn oedd y ffaith ein bod ni'n defnyddio system PA, a dim ond rhyw ddwywaith dwi'n cofio hynny. Mae'r bechgyn eraill yn cofio llawer mwy o gŵynion.

Ond o'm rhan fy hun, che's i ddim beirniadaeth am gyflwyno'r acordion, er enghraifft. Er nad oedd e'n offeryn traddodiadol Gymreig doedd e chwaith ddim yn rhyw offeryn ecsotig, anarferol.

Beth bynnag, dwi'n meddwl mai yn raddol y digwyddodd proses cyflwyno'r offerynnau modern i'r grŵp. Doedd e ddim fel petai e wedi digwydd dros nos. Felly roedd pobol yn dod yn gyfarwydd â'r newidiadau yn ara bach. Ond yn bersonol, dydw i ddim yn cofio unrhyw feirniadaeth o'r cyfeiriad yna.

Ond am y feirniadaeth ein bod ni'n defnyddio system PA — digwyddodd un feirniadaeth yn Llundain, adeg egwyl mewn cyngerdd pan ddaeth rhyw gwpwl aton ni a gofyn yn Saesneg pam oedd angen i ni ddefnyddio'r holl feicroffons a *speakers*. Fe geisies i egluro bod hynny'n syniad da am nad oedd yr acordion a'r telynau'n cyd-bwyso'n naturiol a bod yr offer sain yn gwneud pethau'n fwy cyfartal. Ond ar ddechrau'r ail hanner fe weles i'r cwpwl 'ma yn cerdded allan yn amlwg iawn. Ond ychydig iawn o hynny sy' wedi digwydd yn ddiweddar.

Beth wyt ti'n gofio am deithiau De America?

I mi, hwyrach mai'r ddwy daith yna oedd yr uchafbwyntiau, un yn '85 a'r llall yn '87. Roedd yr ail yn fis o hyd — wythnos yn Chile, wythnos ym Mheriw, wythnos yn Ecwador ac wythnos yng Ngholombia o dan nawdd y Cyngor Prydeinig.

Roedd y daith gyntaf wedi bod yn anhygoel ond roedd hon yn fwy o ryfeddod fyth. Roedd amser i brofi'r diwylliannau gwahanol a chlywed cerddoriaeth y gwahanol wledydd y tro hwn, profiad fydd yn aros gyda fi am byth.

Yr hyn wnaeth fy nharo i, ar wahân i'r agweddau cerddorol a diwylliannol, oedd gweld cymaint o gyfoeth a chymaint o dlodi ochr yn ochr. Mewn rhai trefi roedd pobol yn byw ar y stryd, yn llythrennol heb ddim. Ac roeddech chi'n gweld pobol o'r mynyddoedd, disgynyddion yr Incas, yn symud i lawr i'r ddinas i fyw mewn sefyllfaoedd ofnadwy o erchyll. Ond eto roedden nhw'n llwyddo i greu cymuned a theimlad o gymuned a oedd yn gwbl anhygoel.

Beth fu dy hanes di o '87 ymlaen?

Y record olaf wnes i gydag Ar Log oedd yn '88, ar yr un cyfnod ag yr o'n i'n symud o Gaergrawnt i fyw ym Mangor wedi i mi gael swydd yn y Brifysgol. Roedd hwnna'n gyfnod eitha prysur. Ond er i ni recordio *Ar Log V*, roedd cyngherddau yn digwydd yn llai aml gan fod pawb yn brysur gyda phethau eraill. Felly doedd dim cymaint o deithio. Fe aethon ni i'r Almaen yn '91 ar daith fer, ac ers hynny 'dyn ni ddim wedi bod yn teithio rhyw lawer.

Y gig swyddogol olaf wnes i gydag Ar Log, cyn cyngherddau blwyddyn y dathlu eleni, oedd yn '93 pan aethon ni lan i Fort William yn yr Alban. Fe gawson ni lawer o hwyl ond ers hynny dwi ddim wedi bod, mewn gwirionedd, yn aelod llawn amser o'r grŵp pan maen nhw wedi bod yn cynnal cyngherddau. Fe wnes i adael yn llwyr yn '94 ond nawr wy' 'nôl ar gyfer blwyddyn y dathlu.

Beth am y daith 'Ar ôl Ugain' a'r record newydd?

Dwi'n edrych ymlaen yn fawr i glywed y record orffenedig achos dim ond ar ychydig o'r tracie dwi wedi cymryd rhan. Mae e'n mynd i fod yn brofiad da, fel taith y dathlu. Ry'n ni wedi bod yn ymarfer llawer ac mae hi'n lot fawr o hwyl ymuno gyda nid jyst y pedwar arall ond Dave Burns a Graham Pritchard hefyd. Roedd e'n syndod o'r mwyaf i mi, pan ddaethon ni 'nôl at ein gilydd, sut oedd y cyfan yn ffitio i'w le yn syth yn yr ymarfer cyntaf. Mae pawb yn dal i ddeall ei gilydd yn dda, sy'n beth braf iawn.

Ond i ddod 'nôl at y recordiau, maen nhw'n amrywio o'r naill i'r llall. Yn ddiweddar fe ge's i gyfweliad radio a dyma'r holwr ar y lein yn dewis rhywbeth oeddwn i wedi'i recordio 'nôl yn '83 ar *Yma o Hyd* — dau ddarn wnes i gyfansoddi fy hunan — 'Mynydd yr Heliwr' a 'Hoffed Jack Murphy' a dyma fi'n meddwl, diawch, ma' hi'n dair blynedd ar ddeg ers i fi recordio hwnna. A dweud y gwir, doedd e ddim yn swnio'n rhy ddrwg, ond buaswn i'n ei wneud e'n wahanol nawr.

Mae 'na ddilyniant pendant o un record i'r llall ond gydag *Ar Log V* ro'n i hapusa'. Rwy'n dal i feddwl bod honno'n record go arbennig.

Pa mor safonol, yn dechnegol, yw cerddoriaeth Ar Log?

Pan wnes i glywed Ar Log gyntaf fe ge's i fy synnu. Ro'n i'n gwybod nad oedd 'na lawer o bobol yn chware cerddoriaeth werin Gymraeg, ar wahân i gerddoriaeth ar gyfer dawnsio gwerin, ond dyma glywed grŵp Cymraeg yn chware stwff mor dda fel 'mod i'n eu cymharu nhw â'r Chieftains.

Ar y llaw arall, pan ddechreues i chware gyda nhw yr hyn wnaeth fy synnu i, fel rhywun oedd yn dueddol o chware o'r copi, oedd gweld bod yn well ganddyn nhw weithio heb y copi. Fe wnes i geisio gwneud hynny'n amlach wedyn achos dwi'n meddwl ei fod e'n rhywbeth sy'n datblygu yn dy glust di. Ond roedd e'n rhyfedd chware mewn gig heb y gerddoriaeth o 'mlaen i ar y dechrau. Ond dyna oedd cychwyn y peth — yn y glust, yn y pen. Roedd e'n brofiad gwych.

Pa mor bwysig yw Ar Log yn y byd canu gwerin?

Fel aelod, mae hi'n anodd gwneud sylw, ond mae'n rhaid dweud eu bod nhw'n hanesyddol bwysig ym myd cerddoriaeth, ac nid yn y byd gwerin yn unig. Nhw oedd y grŵp ysgafn cyntaf i droi'n broffesiynol, ac nid jyst yn broffesiynol o ran ennill eu bara beunyddiol drwy chware cerddoriaeth, ond yn eu hagwedd nhw tuag at hynny. Nid jyst chware mewn clwb gwerin am dipyn bach o hwyl maen nhw'n wneud wrth gyflwyno cyngerdd. Ac ar un adeg hefyd byddai Dafydd yn gwneud Dawns y Glocsen ac roedd hynna'n rhywbeth nad oedd pobol y tu allan i Gymru wedi'i weld. Yn wir, doedden nhw ddim wedi clywed alawon o Gymru cyn i Ar Log ddechrau teithio a falle mai'r peth pwysicaf, ar wahân i'r proffesiynoldeb 'ma, oedd mai nhw oedd ymhlith y grwpiau cyntaf i ganu'r caneuon gwerin hyn. Roedd yr alawon i'w clywed yn Eisteddfod yr Urdd a'r Genedlaethol bob blwyddyn ond fel alawon yn unig, nid fel caneuon.

Beth am y sesiynau anffurfiol wedi'r cyngherddau?

Maen nhw'n gallu amrywio. Weithiau mae rhywun yn dod 'nôl o gyngerdd, eistedd lawr i ymlacio am ychydig ac wedyn yn teimlo'r awydd i chware ymlaen hyd oriau mân y bore. Drwy'r nos weithiau.

Un o'r pethau gorau rwy'n gofio am y teithio, yn enwedig i Ogledd America, oedd gallu eistedd lawr yn ymyl rhai o'm harwyr yn y byd canu gwerin — Aly Bain, Phil Cunningham, Micheal O'Suillebhean a hefyd Kevin Burke o'r Bothy Band. Arwyr fel y rhain yn eistedd lawr ac yn chware yn hollol anffurfiol. Cael clywed y meistri wrth eu gwaith. Roedd hynny'n addysg ynddo'i hun.

MYNYDD YR HELIWR

STEPHEN REES

AL & DI: Yma o Hyd (1983)

Alaw a gyfansoddwyd i gofio am ein hymweliad â gŵyl werin yn Nhalaith Efrog Newydd yn 1982, mewn lle o'r enw *Hunter Mountain*. Roedd aelodau eraill Ar Log wedi bod yno o'r blaen, ac felly roedden nhw'n gwybod beth i'w ddisgwyl mewn *ski resort* allan o'r tymor sgïo . . .

HOFFED JAC MURPHY

STEPHEN REES

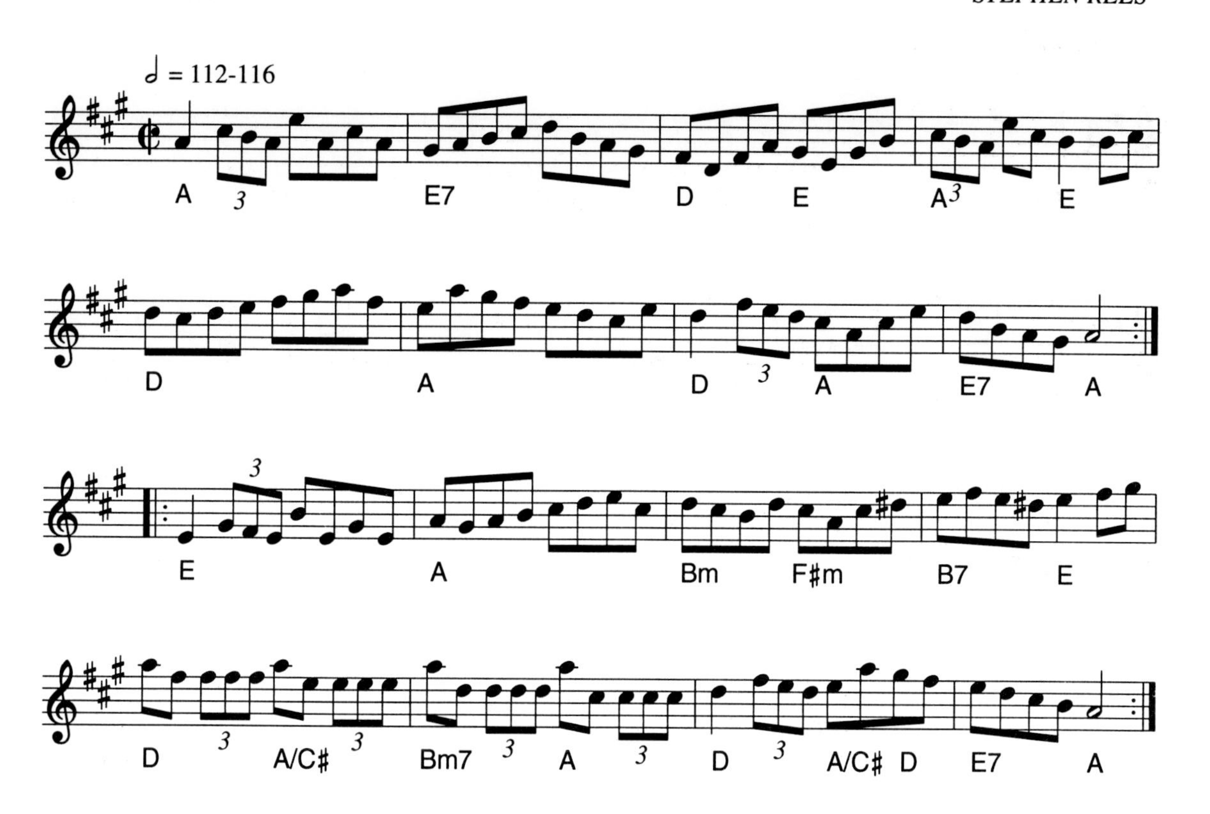

AL & DI: Yma o Hyd (1983)

Alaw a ysgrifennais er cof am fy nhad-cu, a fu farw yn 1971. Roedd o dras Wyddelig (via Lerpwl), ac wedi iddo ymfudo i Dde Cymru, fe ddysgodd Gymraeg. Ar ôl clywed y grŵp Silly Wizard mewn gwyliau gwerin yn Winnipeg a Vancouver yn 1982, cefais fy swyno gan ganwr acordion y grŵp, Phil Cunningham. Dyma'r alaw gyntaf a ysgrifennais wedi hynny sydd yn dangos dylanwad ei dechneg ef, yn enwedig yn y defnydd o dripledi ar un nodyn.

LAURA LLEWELYN

STEPHEN REES

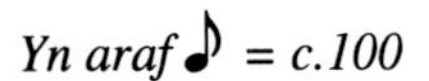

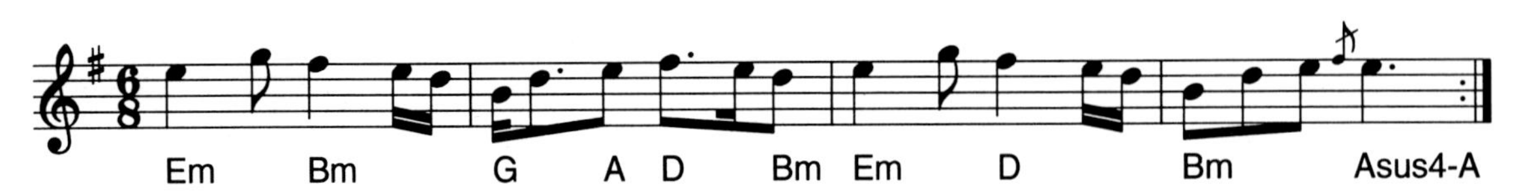

AL & DI: Yma o Hyd (1983)

Alaw araf a gyfansoddais ar gyfer ffrind o Dalaith Efrog Newydd.

MYMPWY RHYS

STEPHEN REES

Ar Log IV (1984)

Yr alaw gyntaf un a ysgrifennais. Pan ymunais ag Ar Log ym mis Ebrill 1982, bu'n rhaid i mi ddod o hyd i alaw a allai 'gynrychioli' bro fy mebyd mewn medli a ddefnyddid i gyflwyno aelodau unigol y grŵp. Roedd gan Gwyndaf a Dafydd alawon o Sir Feirionnydd, roedd Graham yn arfer canu 'Môn', roedd Dave Burns wedi canu 'Tŷ Coch Caerdydd', a.y.y.b. Ar ôl hir ymchwilio, ni che's i hyd i'r un alaw oedd yn gysylltiedig â Rhydaman, felly fe es i ati i gyfansoddi. Gellir canu hon fel pibddawns gyda rhythmau dotiedig, neu fel rîl gyflymach, gyda neu heb y *swing*.

LLYS WARPWL

STEPHEN REES

Ar Log IV (1984)

Roedd ymweliad â Sir Benfro yn bleser bob amser oherwydd nifer o bethau: y tirwedd, y dafodiaith, a'r ymweliadau â gwesty'r *Warpool Court* ger Tŷ Ddewi yn enwedig. Byddai'r perchennog, David Lloyd, bob amser yn rhoi croeso bendigedig i ni. Cawsom nifer o ymweliadau bythgofiadwy yno . . .

Ar Log 1986

Dafydd Iwan

Beth sy'n gosod Ar Log ar wahân?
Wel, pan fydd rhywun yn cymharu sefyllfa adloniant Cymru, Iwerddon a'r Alban, un gwahaniaeth mawr hyd y gwela' i yw nifer y grwpiau a'r artistiaid sy'n penderfynu: 'Reit, dwi ddim am fynd yn athro. Dwi ddim am fynd i'r cyfryngau. Dwi ddim am setlo lawr. Dwi'n mynd i wneud cerddoriaeth yn brif fater 'y mywyd ac rwy'n mynd i wneud hynny'n llawn amser yng Nghymru a thrwy'r byd'.

Un o'r ychydig rai i wneud hynny o'dd Ar Log, ac wrth gwrs, mae hynny yn eu gosod nhw ar wahân. Hynny yw, maen nhw wedi dweud: 'Dan ni'n mynd i fyw ar ein cerddoriaeth am gyfnod'. Ac fe wnaethon nhw hynny a'i wneud e'n llwyddiannus.

Dros yr ugain mlynedd, beth sy' wedi'u cadw nhw i fynd?
Dwi'n credu mai'r hyn sy' wedi cadw Ar Log i fynd, ac sy'n dal i'w cadw nhw i fynd mewn ffordd, yw eu bod nhw'n gwybod be maen nhw'n ei wneud. Gwybod be maen nhw isie'i wneud ac maen nhw'n sicr o'u barn gerddorol eu hunain.

Mae nhw'n hyderus iawn yn eu cerddoriaeth a'u gallu cerddorol eu hunain ac mae ganddyn nhw nod reit glir bob amser. Roedd hynny'n help iddyn nhw pan oedden nhw'n byw'n llawn amser ar eu cerddoriaeth, a dwi'n credu ei fod e'n dal i fod yn sbardun iddyn nhw nawr i ddod at ei gilydd er gwaetha'r holl anawsterau mae hynny'n ei greu.

Pa fath o ymdrech sydd ei hangen i lwyddo'n broffesiynol, a pha anawsterau sy'n debyg o godi?
Mae'n debyg mai'r gair 'proffesiynoldeb' sy'n dod i'r meddwl gyntaf cyn belled ag y mae Ar Log yn y cwestiwn, a hynny yn nau ystyr y gair. Yn yr ystyr cyntaf, maen nhw'n llwyr ymroddedig i'r hyn maen nhw'n ei wneud yn gerddorol. Hynny yw, does 'na ddim hanner ffordd. 'Dyn nhw byth yn cynnal sioe heb drefnu'r dechrau, y canol a'r diwedd. 'Dyn nhw byth yn cynnal perfformiad heb sicrhau bod y sain yn gweithio'n iawn, y goleuadau'n iawn a'r gynulleidfa yn medru gweld a chlywed yn gyfforddus. 'Dyn nhw byth yn cynnal unrhyw berfformiad os nad ydi o gant y cant, a dwi'n meddwl bod yr agwedd broffesiynol honno o isie gwneud y job yn iawn yn bwysig iddyn nhw bob amser.

Yr ail beth, wrth gwrs, yw'r agwedd broffesiynol yn yr ystyr llythrennol. Hynny yw, mae'n rhaid i ddiwylliant Cymraeg gyfuno'r amatur a'r proffesiynol. Mae'r agwedd amatur yn rhan hanfodol o'n diwylliant cerddorol ni yng Nghymru, a hir y parhaed felly, ond ar yr un pryd mae'n rhaid i ni gael y sector broffesiynol.

Os ydi'r diwylliant Cymraeg i oroesi fel diwylliant modern yn y byd modern mae'n rhaid i ni gael sector o actorion Cymraeg proffesiynol, artistiaid Cymraeg proffesiynol ac ati sy'n byw wrth eu crefft a'u dawn. Mae'r briodas rhwng yr amatur a'r proffesiynol yn gallu bod yn briodas eitha anghyfforddus weithiau. Rhwng y rhai sy'n gwneud gwaith gwirfoddol a'r rhai sy'n cael eu talu, mae'r ddau yn gorfod cydweithio yn aml a dydi hynny ddim yn beth hawdd.

Ond mae'n rhaid i ni gael y sector broffesiynol yma a'r hyn mae Ar Log wedi'i ddysgu i lawer ohonon ni yw'r rheidrwydd i fod yn galed weithiau yn yr ystyr ariannol, broffesiynol, a dweud: 'Wel, os ydych chi isie hyn-a-hyn wedi ei wneud yn iawn yna mae'n rhaid i chi dalu amdano fe'. Dwi'n meddwl bod yn rhaid inni ddysgu rhyw gymaint oddi wrth agwedd pobol fel Ar Log sydd â'u hagwedd broffesiynol yn cyd-redeg â'r diwylliant amatur.

Sut fyddet ti'n disgrifio eu cerddoriaeth nhw?
Mae'n anodd disgrifio cerddoriaeth Ar Log a dweud y gwir. Hyderus fase'n i'n ddweud, dyna un peth amdano fe. A bywiog. Dwi ddim yn credu 'mod i'n nabod unrhyw un aeth i gysgu tra'n gwrando ar Ar Log erioed. Mae'r bywiogrwydd, y pendantrwydd, y sicrwydd a'r

Rhwng Hwyl
a Thaith
DAFYDD
IWAN
ac
AR LOG
Dafydd
Iwan
Yn cynnwys:
DAIL Y TEIM
CIOSG TALYSARN
LLEUCU LLWYD
CERDDWN YMLAEN
. . . a llawer mwy

hyder 'ma bob amser yn rhan o'u cerddoriaeth nhw.

Ac wrth gwrs, y tu ôl i'r cyfan mae 'na gerddorion hyderus iawn, iawn a dawnus iawn, iawn. A'r tu ôl i hynny wedyn mae 'na draddodiad a hyfforddiant eang iawn. Hynny yw, nid yn unig yn y delyn deires a'r traddodiad gwerin ond hefyd, wrth gwrs, yn y traddodiad clasurol. O edrych ar aelodau Ar Log dros y blynyddoedd mae rhychwant yr offerynnau, rhychwant profiad, medr a dawn yn aruthrol.

Pwy yw eu cynulleidfa nhw?

Mae cynulleidfa'r grŵp yng Nghymru yn amrywiol iawn. Hynny yw, does 'na ddim un categori arbennig yn dod i'r meddwl. Dwi wedi gweld cynulleidfaoedd o bob math yn mwynhau cerddoriaeth Ar Log ac maen nhw'n apelio llawn cymaint at y gynulleidfa wledig, gefn gwlad, werinol os mynnwch chi, a'r gynulleidfa fwy soffistigedig, ddosbarth canol, ddinesig. Dwi'n meddwl bod hynna'n beth eitha unigryw mewn adloniant Cymraeg, eu bod nhw'n gallu cyfuno'r ddwy gynulleidfa mor rhwydd.

A hefyd, wrth gwrs, does 'na ddim ffiniau oedran chwaith. Er bod heip a ffasiwn y byd pop yn gallu cyfyngu be mae pobol ifanc yn gredu maen nhw'n leicio'r dyddiau hyn, pan ddaw'r bobol ifanc i gysylltiad â pherfformiadau byw gan gerddorion fel Ar Log, maen nhw'n ymateb iddo fe. Un peth dwi'n gresynu'n fawr ynddo fe'r dyddiau hyn yw nad ydi cynulleidfaoedd ifanc a hen yn dod at ei gilydd yn amlach i fwynhau cerddoriaeth o'r fath.

Beth am eu poblogrwydd nhw yng Nghymru a'r tu allan?

A siarad fel rheolwr Sain, mae gwerthiant Ar Log o'r cychwyn wedi bod yn dda ac yn gyson ac mae'n parhau felly. Fel arfer, pan mae grŵp yn peidio â bod yn llawn amser, yn perfformio'n llai aml neu'n chwalu'n gyfangwbwl mae gwerthiant eu recordiau nhw'n diflannu. Gydag Ar Log dydi hynny ddim wedi digwydd. Mae poblogrwydd eu recordiau nhw wedi parhau. Ddim ar yr un lefel, wrth gwrs, ond wedi parhau yn gyson dros gyfnodau pan nad oedden nhw'n perfformio o gwbl. Does dim dwywaith na fydd eu recordiau newydd nhw'n dal i apelio at yr un math o bobol.

I ateb y cwestiwn am eu poblogrwydd nhw y tu allan i Gymru, wel, 'dan ni ddim yn gwybod, a fyddwn ni byth yn gwybod oherwydd dydi'r peiriant gwerthu recordiau Cymraeg a Chymreig ddim yn ddigon da i ecsploitio pobol fel Ar Log i'r eithaf, yn anffodus. 'Dan ni'n dal i weld y maes yma'n cynyddu. 'Dan ni'n dal i weld y byd yn dod yn fwy ymwybodol o gerddorion Cymreig ac fe fydd hi'n rai blynyddoedd eto cyn y byddwn ni'n gallu cyrraedd y miliynau. Ond does dim dwywaith y bydd recordiau Ar Log yn dal i werthu am flynyddoedd i ddod.

Beth am safon gerddorol Ar Log?

Dwi ddim yn meddwl mai fi yw'r un i sôn am eu safon gerddorol nhw. Dydi e ddim yn rhywbeth dwi'n licio sôn amdano fe achos dwi ddim yn gerddor proffesiedig yn yr ystyr yna. Yr unig beth dwi'n wybod yw bod cydweithio gyda nhw yn brofiad arbennig iawn oherwydd, yn un peth, ry'ch chi'n medru dibynnu'n llwyr arnyn nhw.

Wrth berfformio gyda nhw roedd gen i ffydd a hyder llawn ynddyn nhw fel cerddorion. Hynny yw, dwi ddim yn cofio iddyn nhw wneud cymaint ag un camgymeriad, yn ystyr go iawn y gair, erioed, a hynny oherwydd bod eu hyder yn eu cario nhw. Roedden nhw'n gwybod be oedden nhw'n ei wneud ac roedd eu cyd-ddealltwriaeth nhw bob amser yn arbennig o dda. Dwi'n meddwl mai dyna'r peth mawr amdanyn nhw, y ffaith eu bod nhw mor gyfforddus-hyderus ynghylch eu cerddoriaeth eu hunain.

I ba raddau maen nhw wedi rhoi Cymru ar y map?

I raddau helaeth iawn am eu bod nhw wedi penderfynu ymroi yn llwyr i'w gwaith fel cerddorion ac wedi rhoi blynyddoedd i deithio'r byd fel cerddorion Cymreig. Nhw oedd y cyntaf, o bosib, i dorri drwodd ar lefel

Cyngerdd Dafydd Iwan, Ar Log a Chôr Penyberth yng Nghorwen (lluniau drwy garedigrwydd Sain).

ryngwladol fel cerddorion Cymreig ac mae'n biti na fyddai mwy wedi gwneud hynny ac yn gwneud hynny ar hyn o bryd. Rwy'n gobeithio y bydd 'na rai yn gwneud yr hyn wnaethon nhw achos mae'n rhaid i ni osod ein hunain ar lwyfannau rhyngwladol. Ac mae'r byd yn barod amdanon ni.

Ond mae'n rhaid i gerddorion o'r safon yma fynd allan i'r byd, ac i'r byd gwerin yn enwedig oherwydd yn y fan honno mae gennych chi iaith gerddorol sy'n ddealladwy i'r byd ac eto mae gennych chi iaith gerddorol sydd â blas Cymreig arbennig iddi.

Hynny yw, mae gennym ni y fath draddodiad gwerin Cymreig y mae'r byd yn ysu am ei glywed. Mae'r fath gyfoeth gennym ni i'w drosglwyddo i'r byd a does 'na ddim ffiniau i'w torri i lawr. Mae'r byd gwerin yn aeddfed ac yn barod am gyfraniad Cymru ac mae'n rhaid cael pobol fel Ar Log i wneud hynny.

Beth am wendidau? Oes ganddyn nhw rai?
Maen nhw'n dueddol o yfed gormod o de. Mae'r ddiod yn chwarae rhan bwysig yn y diwylliant gwerin ond fyddai Ar Log ddim yn gor-wneud pethau fel na fedren nhw berfformio y noson wedyn. Ond mae gen i gof am ambell i berfformiad sy'n dal yn ddirgelwch — sut y llwyddon nhw i berfformio ar ôl yfed cymaint o de?

Ond i fod yn ddifrifol, hwyrach bod ganddyn nhw ddau wendid. Un feirniadaeth sy' gen i yw'r math o sioe maen nhw wedi bod yn ei gwneud. Dwi'n teimlo y medren nhw fod wedi ehangu'r maes yn fwy.

Hynny yw, dwi'n teimlo bod eu talentau nhw yn fwy amrywiol ac yn fwy eang nag y mae eu sioeau llwyfan nhw'n ei adlewyrchu. O ystwytho dipyn bach ar ddiffiniad cerddoriaeth werin draddodiadol gallen nhw fod wedi arddangos llawer mwy o hyblygrwydd yn eu dull o chware offerynnau ac o gyd-chware. Felly dwi'n meddwl y byddwn i'n eu hannog nhw i gael sioeau sydd ychydig bach yn llai haearnaidd, yn llai ffurfiol a dangos ychydig bach mwy o gyd-chware ac o chware ymysg ei gilydd ac o amrywio'r dull. Petaen nhw'n perfformio rhai o'r eitemau mae nhw'n dueddol o'u chware yn y nosweithiau anffurfiol mewn sesiynau ar ôl y cyngerdd ar y llwyfan, byddai hynny'n ehangu eu hapêl hyd yn oed yn fwy fyth.

Yr unig awgrym arall o wendid, o bosib, yng nghyd-destun yr agwedd broffesiynol oedd bod eu hagwedd galed tuag at arian yn gallu mynd fymryn yn rhy bell. Ond hwyrach mai 'ngwendid i ac nid eu gwendid nhw oedd hynny. Jôc yw hynna, cofia.

Beth sydd ar ôl gan y grŵp i'w gyflawni?
Mae'r hyn all Ar Log ei gyflawni fel perfformwyr cyhoeddus yn y dyfodol yn dibynnu'n llwyr, wrth gwrs, ar sut lwyddan nhw i gael amser o'u gwaith i berfformio gyda'i gilydd mewn cyngherddau ac ar deithiau. Byddai'n braf petaen nhw'n cael amser i wneud hynny. Ond dyna, wrth gwrs, yw'r ddeilema — unwaith mae rhywun yn rhoi'r gorau i berfformio'n llawn amser mae hi'n mynd yn fwy anodd cael amser i gyd-baratoi ar gyfer perfformiadau byw. Dwi'n gobeithio gan' nhw gyfle i wneud hynny yn y dyfodol.

Beth am dy gysylltiad di â'r grŵp?
Mae hynny'n mynd yn ôl ychydig bach i niwl y gorffennol, felly fe af i 'nôl rai blynyddoedd i ddechrau. Roedd fy nghysylltiad i ag Ar Log wedi cychwyn flynyddoedd cyn i ni erioed feddwl perfformio gyda'n gilydd. Ro'n i wedi gweld Gwyndaf a Dafydd yn datblygu drwy nifer o grwpiau roc a bu'r ddau ohonyn nhw yn gwneud cyfraniad pwysig yn nechreuad grwpiau roc Cymraeg. Rwy'n cofio un adeg pan oedd ganddyn nhw syniadau pendant iawn ynglŷn â'r hyn oedd ei angen i sefydlu sîn roc Gymraeg.

Ond ar ôl gadel coleg ac ar ôl cael y profiad yma gyda gwahanol offerynnau — drymiau yn achos Dafydd a'r bâs yn achos Gwyndaf — yn ôl i'r byd gwerin lle cawson nhw'u magwraeth y daethon nhw, ond gyda'r profiad roc yn gefndir pellach. Ac yna sefydlu Ar Log, gyda chymorth cerddorion profiadol eraill.

Ro'n i'n ymwybodol o arbenigrwydd a llwyddiant Ar Log felly ers rhai blynyddoedd a dwi'n cofio meddwl, ddiwedd y saithdegau neu ddechrau'r wythdegau mai peth braf fyddai cael grŵp y medrwn i gydweithio gyda nhw, grŵp y gallen i bwyso arnyn nhw, grŵp fyddai'n agor drysau newydd i 'nghaneuon i.

Yna, un diwrnod, roedd y grŵp yn Stiwdio Sain yn paratoi ar gyfer un o'u recordiau ar ôl bod yn perfformio'n lleol a finnau'n sgwrsio'n anffurfiol â nhw. Dydw i ddim yn siŵr ai fi neu aelod o'r grŵp wnaeth ddigwydd dweud y byddai'n beth braf i ni wneud taith gyda'n gilydd. Beth bynnag, yn sydyn iawn fe drodd y peth o ddim byd, bron, yn syniad pendant. Penderfynwyd trefnu rhywbeth ar gyfer y flwyddyn wedyn ac o fewn munudau roedd thema'r daith a phatrwm y daith, yn fras, yn barod. Fe wnaethon ni hyd yn oed ddechrau sôn am ganolfannau tebygol lle byddai 'na gynulleidfaoedd da ac adnoddau da ar ein cyfer ni.

Yna fel sy'n nodweddiadol o Ar Log, aethpwyd ati yn fanwl i drefnu pethau fel cyhoeddusrwydd, posteri, cynllunio, sain, goleuadau, llety — yr holl anghenion. Roedd hi'n bwysig cael y pethau hynny'n iawn rhag blaen ac roedd 'na frwdfrydedd mawr ynglŷn â'r daith o'r dechrau. Es inne ati i ysgrifennu rhai caneuon newydd ac yna fe wnaeth y band a finne gydweithio arnyn nhw yn ogystal â chydweithio ar yr hen ganeuon hefyd ac fe dyfodd y rhaglen yn rhyfeddol.

Cysylltwyd y daith honno a'r un nesaf gyda themâu cenedlaethol — saithcan-mlwyddiant marw Llywelyn a phen-blwydd Macsen Wledig. Cafwyd dwy daith eithriadol o lwyddiannus gyda neuaddau orlawn ledled Cymru mewn ardaloedd gwledig a threfol, a dwy record hir. O'r recordiau hynny daeth gwahanol ganeuon yn boblogaidd iawn, caneuon fel 'Cerddwn Ymlaen' ac 'Yma o Hyd' ac fe roddodd y cyfan rhyw ysbryd newydd i mi. Yn wir, ro'n i wedi dechrau sôn am roi'r gorau iddi ond dwi'n meddwl mai'r ddwy daith gydag Ar Log roddodd yr hwb i mi ailgychwyn a dwi'n falch o hynny erbyn hyn.

Yn sicr, fe wnaeth caneuon fel 'Yma o Hyd' a 'Cerddwn Ymlaen' droi at gyfeiriadau mwy positif yn hytrach nag hiraethu am yr hyn a fu a phrotestio dros yr hyn allai fod. Daeth nodyn mwy hyderus i 'nghanu i — ''Dan ni wedi'i gwneud hi, 'dan ni wedi goroesi, 'dan ni yma o hyd, 'dan ni'n mynd i gerdded ymlaen'.

Hynny yw, roedd y themâu gorfoleddus, hyderus yma yn rhan o'r ddwy daith ac yn rhan o'r gerddoriaeth. Dwi'n meddwl iddo fod yn gyfnod cyffrous ac allweddol yn natblygiad canu gwerin. Fe wnaeth e olygu cyfuniad o ganeuon traddodiadol a rhai newydd, offerynnau traddodiadol a rhai modern yn ogystal ag offer sain a goleuo da, cynhyrchu sylfaenol a chyhoeddusrwydd effeithiol. Ar ben hynny, petaen ni wedi dechrau'n gynharach rwy'n teimlo y basen ni wedi medru gwneud mwy yn rhyngwladol hefyd.

Pam na wnaeth y bartneriaeth barhau?

Yr hyn sy'n ei gwneud hi'n amhosibl nawr yw ei bod hi mor anodd i'r grŵp a finne fod yn rhydd ar yr un adeg i weithio ar ganeuon newydd. Ry'n ni'n teimlo, o ddod at ein gilydd nawr, mai'r cyfan allen ni 'i wneud fyddai ail-lwyfannu rhannau o'r hen sioeau. Ond petaen ni'n cael amser i greu gwaith newydd byddwn i wrth fy modd yn cydweithio â nhw eto. Ond mater o gael amser yw hynny.

YMA O HYD
DAFYDD IWAN ac AR LOG
KODAK SAFETY FILM
5036
14
14A
6A
7
7A

Ar set 'Gwerin y Werin', Mawrth 1996.

Holl aelodau Ar Log 1976-96 — wrthi'n ymarfer, Ionawr '96.

Ar Log ar Ddisg

Ar Log DIN 305 1978

Ochr 1:
1) Rali Twm Sion/Ymdaith Gwŷr Dyfnaint.
2) Y Blewyn Glas
3) Difyrrwch Corbet o Ynys Maengwyn/ Difyrrwch Gwŷr Dolgellau/Ymdaith Caerffili/Tŷ Coch Caerdydd
4) Ar Lan y Môr
5) Dainty Davey/Hoffedd Ap Hywel
6) Y Gwcw Fach
7) Hafoty Fraich Ddu/Y Gelynnen/Y Lili

Ochr 2:
1) Yn Harbwr Corc
2) Breuddwyd y Frenhines/Per Oslef
3) Cerdd y Gog Lwydlas
4) Clychau Aberdyfi/Bugail Aberdyfi
5) Ffidl Ffadl/Y Delyn Newydd
6) Tra Bo Dau
7) Glan Brân/Ymgyrch-dôn Waenlwyd

Ar Log II DIN 310 1980
SAIN1187M

Ochr 1:
1) Sesiwn yng Nghymru/Môn
2) Fflat Huw Puw/Pibddawns Gwŷr Wrecsam
3) Hiraeth
4) Wyres Megan/Merch Megan
5) Lisa Lân
6) Rownd yr Horn
7) Caer Rhun/Nyth y Gog/Nyth y Gwcw

Ochr 2:
1) Llydaw
2) Llongau Caernarfon
3) Y Ferch o Blwy Penderyn/Tros y Garreg
4) Bugeilio'r Gwenith Gwyn
5) Dafydd Ifan Thomas/Gwŷr Gwent/ Cwrw Da
6) Santiana

The Carmarthen Oak SID 224
1980

Ochr 1:
The Carmarthen Oak

Ochr 2:
Llongau Caernarfon

Ar Log III DIN315 1981
SAIN1218M

Ochr 1:
1) Y Gŵr a'i Farch/Pant Corlan yr Ŵyn
2) Y Gelynnen/Cainc y Datgeiniaid/ Ceiliog y Grug
3) Dau Rosyn Coch
4) Tôn Garol/Aderyn Du
5) Yr Hen Dderwen Ddu

Ochr 2:
1) Tŷ Bach Twt/Mopsi Don
2) Seren Syw
3) Merch y Melinydd
4) Y Pren Gwyrddlas/Beth yw'r Haf i Mi?
5) Wrth Fynd i'r Ffynnon
6) Ymdaith Sir Feirionnydd/Aden y Frân Ddu

Celtic Folk Festival CAL 30588
(Munich 1982)

Ar Log, Jake Walton, Joe ac Antoinette McKenna, Ar Bleizi Ruz a Patrick Ewen. Recordiad Byw yn Dingolfing, Bafaria.

Ochr 1:
Ar Log 1) Hiraeth
2) Wyres Megan/Merch Megan
3) Ymdaith Meirionnydd/Aden y Frân Ddu

Cerddwn Ymlaen SAIN 95S 1982

Ochr 1:
Cerddwn Ymlaen

Ochr 2:
Y Gelynnen

ar log II
sain · Dingle's

Rhwng Hwyl a Thaith SAIN 1252M 1982

Ar Log a Dafydd Iwan

Ochr 1:
1) Dail y Teim
2) Mae Nhw'n Paratoi at Ryfel
3) Abergeni
4) Y Blewyn Gwyn
5) Y Pedwar Cae
6) Dechrau'r Dyfodol

Ochr 2:
1) Ciosg Talysarn
2) Y Dre a Gerais i Cyd
3) Heol y Felin/Ilffracwm
4) Lleucu Llwyd
5) Cerddwn Ymlaen

Yma o Hyd SAIN 1275M 1983

Ochr 1:
1) Y Wên Na Phyla Amser
2) Cwm Ffynnon Ddu
3) Adlais y Gog Lwydlas
4) Tra Bo Hedydd
5) Laura Llywelyn
6) Ffidil yn y To

Ochr 2:
1) Hoffter Gwilym/ Mynydd yr Heliwr/ Nans o'r Felin/Hoffed Jac Murphy
2) Cân i William
3) Cân y Medd
4) Per Oslef
5) Y Chwe Chant a Naw
6) Yma o Hyd

Meillionen DIN 715 1983

Ochr 1:
1) Y Ddafad Gorniog
2) Clawdd Offa
3) Hogiau'r Foelas
4) Rhif Wyth
5) Meillionen

Ochr 2:
1) Rali Twm Sion
2) Ffair Caerffili
3) Ali Grogan
4) Abergenni
5) Dawns y Glocsen

Ar Log IV RAL 001 1984

Ochr 1:
1) Castell Caernarfon/Pibddawns Aberhonddu/Llys Warpool
2) Y Deryn Pur
3) Difyrrwch William Owen Pencraig/ Malltraeth
4) Cân y Cardi
5) Ar Fore Teg/Lliw Gwyn Rhosyn yr Haf

Ochr 2:
1) Dadl Dau/Ceffyl yn Rhygyngog
2) Cerrig y Rhyd
3) Swydd Amwythig
4) Tri Chant o Bunnau/Blodau Llundain/Difyrrwch Gwŷr Mawddwy
5) Pe Cawn i Hon
6) Y Ddafad Gorniog/Hela'r Sgwarnog/ Mympwy Rhys

ar log
·PEDWAR·
·:IV·

Ar Log V SAIN 1468M 1988

Ochr 1:
1) Rew Di Ranno/Y Facsen Felen
2) Llwyngwair/Y Gŵr o Gaerwys/Hoffder Madoc Ab Owain Gwynedd
3) Yn Iach iti Gymru
4) Bryniau Iwerddon/Alawon Fy Ngwlad
5) Lisa Fach

Ochr 2:
1) Cwrw Melyn/Y Dyn Meddw
2) Y March Glas/Nos Fercher
3) Ymdaith Gwŷr Hirwaun
4) Y Gwydr Glas
5) Rîl Abergwaun

O IV i V SAIN SCD 9068 1991
(Fel ar *Ar Log IV* ac *Ar Log V*)

Ar Log VI SAIN SCD 2119 1996

1) Migldi Magldi
2) Myfanwy
3) Twll yn y To/Cymro o Ble?/Pedwar Post y Gwely II
4) Cwrw Da
5) Y Ferch o Fydrin/Pibddawns y Bontnewydd
6) Wrth fynd efo Deio i Dywyn
7) Gorsaf y Gof/Rachel Dafydd Ifan
8) Mynwent Eglwys
9) Jigolo/Harri Morgan
10) Codi Angor

AR LOG
VI

Cymdeithas Offerynnau Traddodiadol Cymru

(Cymdeithas NEWYDD ar gyfer offerynwyr Cymru)

Ydych chi...

- yn canu offeryn traddodiadol, neu eisiau dysgu (ffidil, telyn, ffliwt, pib, pibgorn...)?
- am gwrdd â chwaraewyr eraill o bob rhan o Gymru mewn gweithdai a sesiynau?
- am fod yn rhan o fwrlwm yr adfywiad traddodiadol sydd eisoes ar droed?
- am wybod y gwahaniaeth rhwng *Ffidl Ffadl* a *Mogy Laddyr*?

Os gallwch ateb 'Ydw' i un o'r uchod, yna dylech ymuno â Chymdeithas Offerynnau Traddodiadol Cymru. Mae hon yn gymdeithas **newydd sbon** fydd yn hybu a hyrwyddo cerddoriaeth offerynnol Cymru trwy:

- drefnu gweithdai offerynnol a sesiynau ar gyfer offernwyr o bob safon (cynhelir gweithdy a sesiwn nesaf COTC ym Mangor **Ddydd Sadwrn 30ain o Dachwedd 1996**);
- gynorthwyo recordiadau a chyhoeddiadau o gerddoriaeth draddodiadol;
- roi cyhoeddusrwydd i weithgareddau perthnasol yng Nghymru a thu hwnt...
  ...a llawer mwy!

Lansir COTC yn swyddogol yn Eisteddfod Bro Dinefwr eleni (wel, mae'n hen bryd i'r Eisteddfodwyr ddysgu beth yw gwir natur cerddoriaeth draddodiadol...) ar **Ddydd Mercher Awst 7fed 1996 am 12.30 y.p. ym Mhabell y Cymdeithasau.** Galwch draw!

Ond fe gewch chi ymuno yn awr! Llenwch y ffurflen isod a'i dychwelyd at: **Stephen Rees, COTC, 8 Bron Arfon, Llanllechid, Gwynedd, LL57 3LW** gyda siec neu archeb post am y maint priodol, taladwy i **'COTC'**. Bydd eich aelodaeth yn ddilys hyd at **ddiwrnod olaf Gorffennaf 1997**. Bydd aelodau yn derbyn gywbodaeth am weithgareddau'r Gymdeithas ac am weithgareddau perthnasol yng Nghymru ac mewn gwledydd eraill; hefyd, bydd aelodau yn medru derbyn gostyngiadau ar bris gweithgareddau'r Gymdeithas lle bo'n briodol.

✂————————————————————————————

Dymunaf/dymunwn ymuno â Chymdeithas Offerynnau Traddodiadol Cymru
Amgaeaf siec/archeb post taladawy i 'COTC' (rhowch groes yn blwch priodol):

❑ **llawn:**	£10 y flwyddyn [oedolyn unigol]
❑ **gostyngiad:**	£5 y flwyddyn [myfyrwyr mewn addysg lawn-amser, plant (dan 16 oed), di-waith, pensiynwyr]
❑ **teulu:**	£15 y flwyddyn [hyd at 2 oedolyn ynghyd ag unrhyw nifer o blant hyd at 16 oed]

Enw(au):..

....

Cyfeiriad:..

....

....

Côd Post:...Rhif Ffôn/Ffacs:...

Cyfeiriad E-bost:...Offeryn a Safon:...

Mwy o lyfrau ar adloniant Cymraeg

Pris: £3.90

I Adrodd yr Hanes

51 o Ganeuon Meic Stevens
gyda cherddoriaeth

Cofnodi: Lyn Ebenezer
Cerddoriaeth: Brian Breeze
Discograffeg: Gary Melville

Pris: £5.95

Pris: £3.50